STINK TEGEN DANNY

TEKST EN ILLUSTRATIES DOOR

JENNY MCLACHLAN

HarperCollins

Voor het papieren boek is papier gebruikt dat onafhankelijk is gecertificeerd door FSC®
om verantwoord bosbeheer te waarborgen.
Kijk voor meer informatie op www.harpercollins.co.uk/green.

HarperCollins is een imprint van Uitgeverij HarperCollins Holland, Amsterdam.

Copyright © Jenny McLachlan 2023
Oorspronkelijke titel: *Fairy vs. Boy*
Copyright Nederlandse vertaling: © 2024 HarperCollins Holland
Vertaling: Angelique Verheijen
Omslagontwerp: HarperCollins*Publishers*
Bewerking: Pinta Grafische Producties
Illustraties: © Jenny McLachlan 2023
Zetwerk: Mat-Zet B.V., Huizen
Druk: ScandBook, Lithuania, met gebruik van 100% groene stroom

ISBN 978 94 027 1389 3
ISBN 978 94 027 6957 9 (e-book)
NUR 282
Eerste druk januari 2024

Originele uitgave verschenen bij Farshore, een imprint van HarperCollins*Publishers* Ltd,
The News Building, 1 London Bridge St, London, SE1 9GF.

Translated under licence from HarperCollins*Publishers* Ltd.

The author asserts the moral right to be acknowledged as the author of this work.

HarperCollins Holland is een divisie van Harlequin Enterprises ULC.
® en ™ zijn handelsmerken die eigendom zijn van en gebruikt worden door de eigenaar
van het handelsmerk en/of de licentienemer. Handelsmerken met ® zijn geregistreerd
bij het United States Patent & Trademark Office en/of in andere landen.

www.harpercollins.nl

1. Rare DINSDAG

Wat me nou toch is overkomen...

Het is zo ontzettend raar dat ik een dagboek ga bijhouden om te zorgen dat ik niks vergeet. Als ze dit dagboek ooit gaan verfilmen (en dat zit er dik in) dan zijn dit de eisen voor de acteur die mij, Danny Rekels, gaat spelen: elf jaar oud, klein (maar sterk), knap, goed in tekenen en grappig. Hij moet er zo uitzien.

Oké, terug naar wat er is gebeurd.

Het begon eigenlijk vanochtend al, toen ik beneden mijn verjaardagscadeaus uitpakte. Ik had er zes. Vijf waren goed, en eentje was slecht. Ik heb een lijstje gemaakt, en jij mag zeggen of de lijst van goed naar slecht gaat, of van slecht naar goed. PS: Een van de cadeaus hou ik nog even geheim.

Twee ratten

Geld! £20

Penseelpennen

Supermier HANDTRAINER

GIGA-CHOCO-REEP

danny xXx

De ratten zijn geweldig. Ik wilde ze al heel lang, en nu heb ik er twee. Ik heb ze Tonnie en Guus genoemd, want we mogen van mam alleen huisdieren als we ze een mensennaam geven.

Geld is altijd goed.

De penseelpennen zijn ook fantastisch, want ik teken strips over een vos. Hij heet Rooie Rover en draagt een cape.

Elke Rooie Rover-strip eindigt ermee dat Rooie Rover op het punt staat om op een gruwelijke manier te sterven.

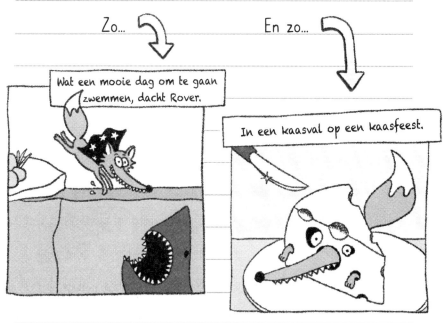

De handtrainer is om gespierde vuisten te krijgen voordat ik naar de middelbare ga. Eigenlijk wilde ik een **ANACONDA-HANDTRAINER** – die heeft mijn beste vriend Kabir – maar volgens pap is die van mij beter omdat mieren veel meer grip hebben dan anaconda's (ik heb online gekeken, en deze waren een tientje goedkoper).

De giga-chocoladereep is van mijn gemene-maar-saaie grote zus Jasmijn.

JAS

SOOF

Het geheimzinnige cadeautje is van mijn lieve-maar-wilde kleine zusje Sofie. 'Hier, voor jou, Danny,' zei ze terwijl ze een slecht ingepakt cadeau naar mijn gezicht gooide. Aan dat inpakken en gooien kan ze niet zoveel doen (ze is pas drie), maar pap en mam hadden er misschien even bij moeten blijven toen ze dat cadeau kocht.

Toen ik het papier eraf trok ontdekte ik dat Sofie me dit had gegeven.

Je ziet het goed. Een elfendeur. Je moet hem in je slaapkamer op de muur plakken en dan doet-ie... helemaal niks. Het ziet eruit alsof je zelf een elfendeur op de muur hebt geplakt.

Plak 'm aan de muur!
Elfendeur
Urenlang plezier

'O, super,' zei ik sarcastisch. 'Die wilde ik nou altijd al hebben. MAAR NIET HEUS.'

Mam gaf me op m'n donder omdat ik onaardig deed, maar we weten allemaal dat Sofie dat cadeau voor zichzelf heeft uitgezocht.

Nog voor ik de elfendeur uit de doos kon halen om te kijken of dat kleine brievenbusje open kon, trok Sofie hem al uit mijn handen. Kakelend als een heks rende ze ermee naar boven. Mam, pap en Jasmijn vonden het

ontzettend grappig, tot ik opmerkte dat ik nu een cadeau
te weinig had gekregen en er dus nog een tegoed had.

Volgens mam was ik
verwend, en om me een
lesje te leren at ze een
hele rij blokjes van mijn
chocoladereep op.

Toen ik zei dat ik
nu TWEE cadeaus tekortkwam, aten pap en Jasmijn ook
allebei een rij blokjes op.

Daarna hield ik mijn mond.

De rest van de dag heb ik chocolade gegeten, Tonnie
en Guus getraind en gewerkt aan vuisten zoals die van
Iron Man.

En toen gebeurde HET. Dat rare ding waardoor ik dit
dagboek ben begonnen.

2. SOFIE EN DE LIJM

Met mijn nieuwe stalen vuisten droeg ik de kooi van Tonnie en Guus naar mijn slaapkamer. Daar ontdekte ik dat Sofie los was gegaan met de secondelijm.

Dit had ze allemaal vastgeplakt:

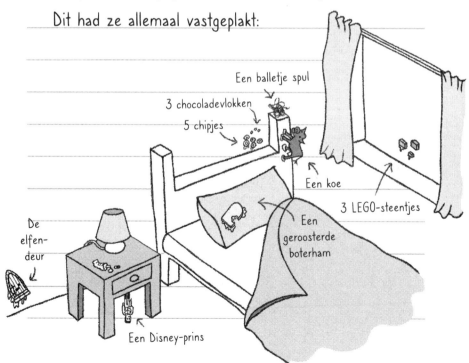

Een balletje spul

3 chocoladevlokken

5 chipjes

Een koe

3 LEGO-steentjes

De elfen-deur

Een geroosterde boterham

Een Disney-prins

Ze had niet alleen de elfendeur op de muur van mijn kamer geplakt, maar ook nog een heleboel andere dingen. En het was prutswerk.

Sofie was de plaats van de misdaad niet eens ontvlucht, maar zat op haar hurken naast de elfendeur in de brievenbus te fluisteren: 'Hallo, elfje... Ben je daar?'

Ik was zo boos dat ik iets gemeens deed.

Soof, je doet het helemaal verkeerd.

Hoezo?

Achter iedere elfendeur zit een echt elfje klaar om naar buiten te komen, maar je moet iets speciaals doen om het te bevrijden.

Ik geloof er niks van, Danny. Je houdt me voor de gek.

Ik ZWEER het, Sofie. Er zit een schattig elfje achter die deur. Ze ziet er prachtig uit en ze ruikt naar snoepjes. Ik ga zorgen dat ze naar buiten komt om met je te spelen.

Dank je wel, Danny!

BEDANKT!

BEDANKT!

BEDANKT!

Schiet nou op!

ALSJEBLIIIIIEFT!

Dit is wat ik deed...

ZO ROEP JE EEN ELFJE OP

1. Sla op je wangen

2. Duw tegen de neus van je zusje

3. Draai drie rondjes

4. Trek een gezicht alsof je zit te poepen (maar doe het niet echt)

5. Klop op de elfendeur

6 Zeg het magische rijmpje op

Elfje o elfje,
zo zoet als jam,
stap door de deur,
want daar is Dan.

Ik weet het, het was een waardeloos gedicht, maar ik moest ter plekke iets verzinnen.

Sofie maakte zich zo druk dat haar handjes wel zeesterren leken, en ze begon te hijgen als Frieda, onze hond. Het zag er zo grappig uit dat ik moest lachen.

En toen knalde de elfendeur van de muur. Hij raakte me vol in mijn gezicht.

Ik greep naar mijn neus en viel op de grond. Toen ik mijn ogen weer opendeed zag ik dit...

Je ziet het goed. Er was een echte, levende elf uit de elfendeur gekomen. Ze stond in een wolk van rook en sterren in mijn slaapkamer, en leek voor geen meter op het elfje op de doos.

Opeens werden de rook en de sterren weer opgezogen door het gat in de muur. Het elfje raapte de deur op en schroefde hem weer op z'n plek met haar toverstokje. Daarna rende ze op me af, en ze werkte zich half vliegend, half klimmend tegen mijn lichaam omhoog tot ze uiteindelijk voor mijn gezicht fladderde.

'Ik ben van JOU, Jongen,' zei ze terwijl ze hard in mijn voorhoofd stak met haar toverstok. 'Jij bent mijn meester en ik blijf bij je tot je STERFT!'

'Ja, maar, ja, maar, ja, maar... Ik wil helemaal geen elfje!' riep ik.

'Wel waar. Je zei dat ik er prachtig uitzag en dat ik naar snoepjes ruik!'

'Dat was sarcastisch!' jammerde ik.

'Pech,' zei ze. 'Als je me niet wilt, dan had je me niet moeten wegroepen uit Elfenland met al die toverwoorden en het oeroude heilige ritueel voor mensjes en elfen, hè?'

'Maar dat verzon ik gewoon!' zei ik, en daarna begon ik te huilen omdat die elf het nodig vond om haar toverstok een paar keer keihard in mijn neus te rammen.

Ik moet er eerlijk bij zeggen dat Sofie helemaal niet bang was en niet moest huilen. Nee, ze zat de elf met een smoorverliefde blik aan te gapen.

Ik vond het hoog tijd om te doen wat ik altijd doe als ik bang ben of als er iets niet goed gaat.

MAM!

Het elfje trok bliksemsnel haar toverstok en
schreeuwde:

Er explodeerden sterren, ik proefde aardbeiendrop-
veters en daarna lijmden mijn lippen zichzelf aan elkaar.

De elf zoefde tot vlak voor mijn ogen en siste: 'Nog
één zo'n geintje, Jongen, en ik BIJT je!'

Ik trok een sprint naar de deur, en ze beet me.

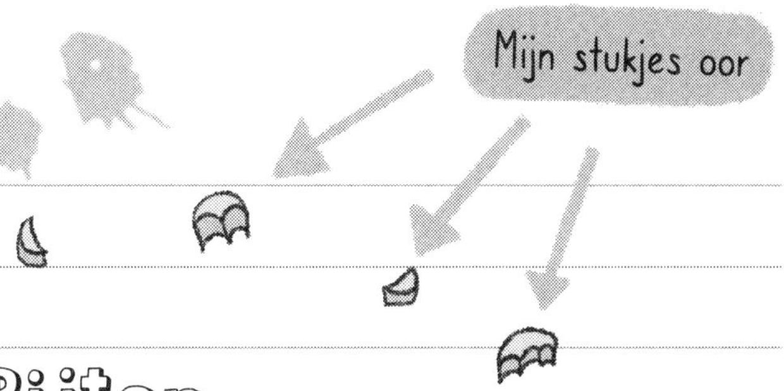

3. Bijten

Tijdens deze hele toestand deed Sofie dus <u>HELEMAAL</u> niks om me te helpen. Ze bleef gewoon zitten met haar mond wagenwijd open. Zo zit ze er ook altijd bij als ze naar *Timmy Tijd* kijkt.

Als Sofie me had willen helpen, had ze het elfje makkelijk fijn kunnen knijpen in haar plakkerige knuistje.

Het elfje knaagde aan mijn oor alsof ze een maiskolf at. Ik had mazzel dat ze zo'n klein mondje had en piepkleine tandjes.

Mijn oor

15

Ze vloog weer voor mijn gezicht en snauwde:
'Oké, Jongen, luister goed. Er is iets wat je
moet weten over elfjes. Als een volwassen
mens ons ziet, dan gaan we DOOD. Begrijp je
wat ik zeg?'

Ik knikte en deed: 'Mmmgmmpff' (omdat mijn
lippen nog steeds aan elkaar zaten geplakt).

'En we gaan niet netjes dood. We lossen niet
op in een wolk van roze glitters of zoiets.
Nee hoor. We SMELTEN!'

'O neeeeee!' jammerde Sofie.

Het elfje was nog niet klaar. 'En als we smelten, dan
veranderen we in een soort toversmurrie die OVERAL
gaten in brandt. Zit je daar soms op te wachten, Jongen?

Wil je eindigen als een elfenmoordenaar die gaten in zijn huis brandt met toversmurrie?'

Ik bewoog mijn hoofd van links naar rechts.

Het elfje glimlachte en zei: 'Goed zo! Beloof je dat je je koest houdt als ik de spreuk ongedaan maak?'

Knik, knik (deed ik).

Ze tikte met haar toverstok tegen mijn lippen, riep 'DOOR' en op slag plakten mijn lippen niet meer aan elkaar. Je kon zien dat ze heel trots was op zichzelf. 'Zag je wat ik deed? Ik zei ROOD achtervoren, DOOR dus, en zo draaide ik de spreuk terug. Het is voor het eerst dat dat werkt!'

Daarna voerden de elf en ik een ernstig gesprek.

Het was een soort zakelijke onderhandeling, en het ging zo:

Dus je wilt dat ik wegga?

Nou, graag! Ik wil geen elf. Ik ga bijna naar de middelbare school en je kunt niet met me mee.

De middelnare school? Wat is dat? Dat moet ik zien!

Nee, dat hoeft echt niet. Ga nou gewoon terug door die elfendeur en laat me met rust.

Als je echt wilt dat ik wegga kun je maar EEN ding doen.

Wat dan? Zeg op, ik doe alles!

Geef me geld.

'Dat gaat lukken,' zei ik. 'Oma heeft me een briefje van twintig gegeven voor mijn verjaardag.'

Maar het elfje zei: 'Ik hoef dat vieze briefje van je ouwe oma niet. Ik wil elfenpingels.'

Daarna gaf ze me een preek over pingels. Ze stond erop dat ik het allemaal zou opschrijven en hielp me met de tekeningen.

Pingels zijn elfengeld. Ik heb gehoord over dat stinkende mensengeld van jullie en dat klinkt echt heel stom. Maar pingels zijn te gek, want je kunt er alles van  kopen. Ik heb drie pingels in mijn spaarvarken en dat is niet eens genoeg om mijn huur te betalen, want die is vijf pingels per week. Daarom werk ik voor R.E.E.T. Niet lachen, Jongen. R.E.E.T is helemaal niet grappig. Ik zei NIET LACHEN! R.E.E.T staat voor Reddende Elfen Elite Team.

Telkens als ik een goede daad doe door een mens te helpen verdien ik HONDERD pingels. Die heb ik kei- en keihard nodig omdat mijn vleugels helemaal in de vernieling liggen, dus ik moet nieuwe. Zilverschichten zijn de beste, die heeft mijn broer

Fandango. Hij heeft bergen pingels. Hij heeft zoveel pingels dat hij een pruik van zeemeerminnenhaar heeft en een tamme gnoom, die heet Jozias. Ik haat hem. Fandango dus, niet Jozias. Of eigenlijk haat ik Jozias ook. Maar, dus, als ik een mens help met een goede daad, dan krijg ik mijn honderd pingels, en dan beloof ik dat ik voor ALTIJD EN EEUWIG verdwijn.

Ik zei: 'Echt waar? Beloof je dat je weggaat zo gauw je die honderd pingels hebt?'

Het elfje vloog weer naar mijn gezicht. Het kostte een heleboel moeite, want haar vleugels zijn inderdaad bagger. Ze blies haar wangen op van inspanning en flapperde zich een ongeluk.

Ze zei: 'Ik BELOOF het, Jongen. Luister, dit is iets wat je over elfjes moet weten.'

4. Wennen aan mijn elf

Even later wilde pap Sofie naar bed brengen.

'Neeeeeee! Neeeeee!' krijste ze. Ze propte haar handjes in paps mond en probeerde zijn gezicht uit elkaar te trekken. 'Ik wil bij Danny en zijn elfje blijven!'

Pap bleef maar lachen terwijl ze haar best deed om eerst zijn neus en daarna zijn bril te breken. 'Vergeet het maar, jongedame. Er wordt niet meer met Danny en zijn elfje gespeeld. Het is bedtijd voor jou!'

'Hij heeft een ELFJE in zijn HAAR!' gilde ze terwijl pap haar de kamer uit droeg.

Dat was waar. Ik had inderdaad een elfje in mijn haar.

22

Weet je, op het moment dat pap mijn slaapkamer binnenkwam was het elfje in mijn haar geschoten, en daar was ze gebleven.

Ik voelde haar bibberen zolang hij in de kamer was, dus dat verhaal over toversmurrie was waarschijnlijk niet verzonnen. Ik bibberde ook, want ik wilde echt niet dat die toversmurrie gaten in mijn hoofd en hersens zou branden.

Toen pap en Sofie weg waren, schudde ik het elfje uit mijn haar. Ze viel op het bed en ging direct mijn slaapkamer verkennen.

Ze vond de ratten fantastisch.

'Wauw!' zei ze. 'Babydraken!'

'Nee, dat zijn ratten,' zei ik, maar ze wilde niet luisteren.

'Ik herken een babydraak als ik er een zie, Jongen. Mijn broer Fandango zou stikken van jaloezie als hij me op een van deze schatjes zag rondrijden in Elfenland!'

'Luister,' zei ik. 'Als ik echt jouw meester ben, dan moet je weten hoe ik heet. Ik ben Danny Rekels.'

'HA!' zei het elfje. 'Rekel betekent oksel in Elfen-land!'

'Nee, helemaal niet,' zei ik.

'Wel waar. Jij heet dus eigenlijk Danny Oksels.'

'Wat jij wilt.' Ik vond dat ik de wijste moest zijn.

Danny Rekels' rekel

24

Ik stak mijn hand uit en zei: 'Aangenaam.'

Het elfje schudde mijn middelvinger tussen haar piepkleine handjes.

'Jij ook aangenaam, Danny Rekels. Ik heet S punt Tink.'

'S punt Tink?' Had ik dat nou goed verstaan?

'Ben je dom of zo, Danny?' vroeg ze. Ze vloog naar mijn LEGO en legde de steentjes zo neer:

'Dus jij heet Stink?' vroeg ik.

Dat vond ze niet leuk. Ze liet grommend haar tanden zien en gooide het stuk LEGO dat ze als punt had gebruikt naar mijn hoofd.

'Nee, FLAPDROL! Ik heet S punt Tink. Tink is mijn achternaam, die komt heel veel voor in Elfenland. Mijn voornaam begint met een S.'

'Wat is je voornaam dan?'

Stink greep met uitpuilende ogen naar haar hart.

'Danny, je mag een elf NOOIT naar haar voornaam vragen. Dat is ontzettend onbeschoft. Het is net zo erg als iemand je kont laten zien. Zou jij zomaar aan iemand je kont laten zien, Danny? Nee hè! Vraag me dus NOOIT MEER naar mijn voornaam.'

(Ik heb ooit mijn kont aan iemand laten zien, aan twee iemanden zelfs, maar dat ging per ongeluk. Mam had gezien dat er nieuwe mensen in onze straat waren komen wonen en had hun kinderen (Fleur en Fin Bulk) uitgenodigd om bij ons te komen spelen. Ze wist niet dat Jasmijn en ik een waterglijbaan hadden gemaakt, en dat ik net had ontdekt dat je niet lekker kunt glijden met een zwembroek aan. Zo hebben Fleur en Fin mij leren kennen.)

Maar het kost te veel

tijd om S punt Tink te zeggen, dus ik noem haar Stink.

En dat was dat. Het einde van mijn rare dag.

Op dit moment ligt Stink gezellig tussen mijn
ratten, want dat leek haar
de beste plek om te
slapen. Ze heeft de
hele kooi overgenomen.
Hun plastic huisje is

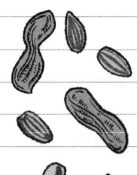

nu haar wc, en ze heeft hun
complete voorraad pinda's en
zonnebloempitten naar binnen
gewerkt.

Ik ga nu naar bed. Morgen
moet ik goed uitgerust zijn, want

dan ga ik Stink helpen om een
goede daad te doen. Duimen, als
het meezit ben ik morgenavond
van haar af!

5. Woensdag

Ik ben niet van haar af. Ze heeft een van mijn
sokken aangetrokken en rijdt op Guus door mijn kamer.
Ondertussen knauwt ze op een pissebed.

Ze heeft vandaag geen enkele goede daad gedaan.
Hooguit een paar slechte.

Het ging al mis bij het ontbijt. Ik at van die
honingringetjes. Stink zat
op de rand van mijn
kom en viste er af
en toe eentje met
haar toverstokje
uit de melk.

'Hoe werkt dat precies met die goede daad?' vroeg ik.

'Ik help mensen, en dan beslist Herman, dat is mijn baas bij R.E.E.T., of ik honderd pingels heb verdiend.'

'Hoe weet je dat je je pingels hebt gekregen en terug kunt naar Elfenland?' wilde ik weten.

Ze wapperde met haar afgeragde vleugeltjes. 'Omdat deze dan veranderen. Ik heb al een paar Zilverschichten besteld. Herman hoeft de pingels alleen maar over te maken naar mijn rekening bij de trollenbank, en BAM! Nieuwe vleugels voor S punt Tink!'

En geen elf meer voor Danny, dacht ik terwijl ik nog een hap nam.

Toen kwam mam de keuken binnenlopen, en ZOEF! Dit is wat er gebeurde:

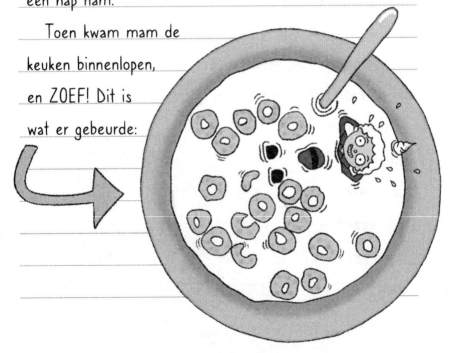

6. Goede daden

Stinks overall was kletsnat, dus toen we weer in mijn kamer waren trok ze hem uit. Ze hing hem te drogen over de verwarming.

Heb je je ooit afgevraagd wat elfjes onder hun kleren dragen? Dit.

Daarna beet ze gaten in een sok, om een reuzen-hoody voor zichzelf te maken.

'Zullen we naar buiten gaan?' Ze drukte haar gezicht tegen het raam.

Ik had echt geen zin om haar los te laten op de wereld. In plaats daarvan dwong ik haar om de hele dag samen met mij binnen te blijven en goede daden te doen. Dit hebben we gedaan:

Een boterham met jam gesmeerd voor Sofie

De was opgehangen

Sofies tanden gepoetst

Ik heb ontdekt dat ik Stink geen seconde alleen kan laten met Sofie. Ze hebben een slechte invloed op elkaar. Dit is een gesprek dat ik heb afgeluisterd:

Stink: Sofie, wat wil jij gaan doen?

Sofie: Danny's pennen uit het raam gooien.

Stink: Wat een briljant idee, Sofie! Zullen we nog meer dingen naar buiten gooien?

Sofie: Wat dan, Stink-elf?

Stink: Eh... Wat dacht je van al zijn kleren en spullen?

Sofie: En zijn BROEK!

Stink: Ja! Ja! Laten we al zijn broeken uit het raam gooien!

Nadat ik mijn spullen weer uit de tuin had gehaald, vroeg ik aan Stink waarom ze dacht dat mijn broeken uit het raam gooien een goede daad was.

'Ik hoef geen goede daad voor jou te doen, Danny.' Ze zei het alsof ik niet goed bij mijn hoofd was.

'Ik moet een goede daad doen voor een méns. Jou heb ik alleen nodig om goede daden te vinden en me overal heen te dragen en zo.'

Eigenlijk ben ik dus Stinks goededadentaxi.

Ik vroeg haar met wat voor dingen haar elfenvrienden honderd pingels hadden verdiend.

'Ik heb niet zoveel vrienden,' gaf ze toe (wat een verrassing), 'maar Fandango werkte vroeger ook voor R.E.E.T. en hij is stinkend rijk. Hij moet dus een paar enorm goede daden hebben gedaan.'

Ze moest lang en diep nadenken voor ze met een lijst kwam van de beste dingen die Fandango voor R.E.E.T. heeft gedaan. Mocht je het je afvragen, Stink heeft gezegd wat ik erbij moest tekenen.

1. Hij heeft duizend origami-kraanvogels gevouwen en een beterschapsmobile gemaakt voor Kiko, de Japanse kroonprinses.

2. Hij heeft met zijn kleine elfen-lijfje een gat in een opblaaszwem-badje gedicht, en daarmee het feest voor de vierde verjaardag van Mimi Jansen gered.

3. Hij heeft een kat bevrijd die met zijn kop klem zat in een bagel. (Dit was een extra goede daad die hij op weg naar huis even tussendoor deed, nadat hij een hond die al drie jaar vermist was had teruggevonden.)

4. Hij heeft een vlucht spreeuwen betoverd en ze 'JOE' laten spellen voor een bedroefde vogelaar.

Ik vroeg of Stink ook dingen kon betoveren. Volgens haar moet je eerst 'naar de universiteit en zo' als je coole magie wilt leren, en dat vindt ze te veel moeite. Ze kan blijkbaar maar één ding: bijen en mieren in slaap laten vallen.

Alles bij elkaar was het een hopeloze dag voor de goede daden, maar Stink wist Sofie best goed bezig te houden in bad. Ze verkleedde zich met zeepbellen. Kun je raden wat ze moest voorstellen?

A   B   C

D   E   F

En zoals ik al zei, op dit moment rijdt ze op Guus door mijn kamer en eet ze een pissebed.

A: een gnoom, B: een wolk, C: een schaap, D: mist, E: nog meer mist, F: een kont in de mist

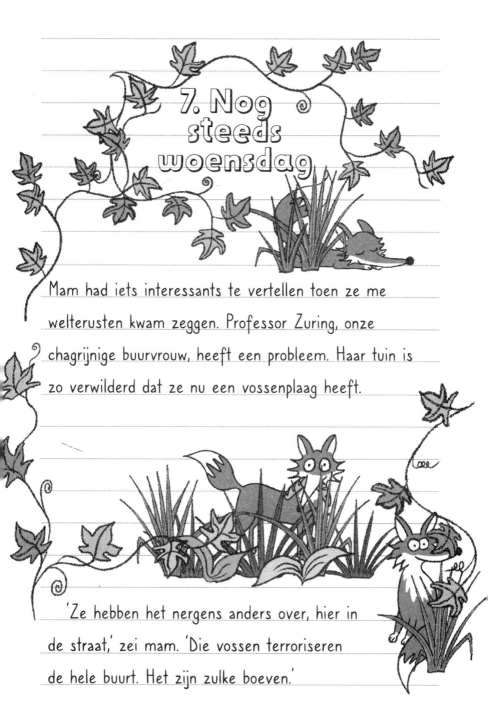

7. Nog steeds woensdag

Mam had iets interessants te vertellen toen ze me welterusten kwam zeggen. Professor Zuring, onze chagrijnige buurvrouw, heeft een probleem. Haar tuin is zo verwilderd dat ze nu een vossenplaag heeft.

'Ze hebben het nergens anders over, hier in de straat,' zei mam. 'Die vossen terroriseren de hele buurt. Het zijn zulke boeven.'

'Wat doen ze dan?' vroeg ik. 'Gooien ze de ruiten in en zuipen ze bier?'

'Doe niet zo raar, Danny,' zei mam. 'Ze poepen op lege chipszakken en duwen de vuilnisbakken om.'

Ze pakte mijn hand. 'Jasper Bulk van nummer tien heeft geklaagd bij de gemeente, en nu sturen ze een ongediertebestrijder om de vossen te vergiftigen. Ze gaan de vossen vergiftigen, Danny!' Ze kneep hard in mijn hand. 'Heb je ooit zoiets barbaars gehoord?'

Weet je, mam en ik verschillen over zo'n beetje alles van mening, maar als het over vossen gaat zijn we het roerend met elkaar eens.

Ik ben zo gek op vossen dat ik 135 strips over Rooie Rover heb getekend. Mam vindt ze zo leuk dat ze een vos op haar arm heeft laten tatoeëren.

Ik ga zelfs zover dat ik net doe of ik fan ben van het voetbalteam van onze stad, want die hebben een vos in hun logo en daarom wil ik hun spullen kopen.

Mam houdt zoveel van vossen
dat ze een stenen vos voor de
deur heeft gezet die ze kleertjes
aantrekt. Je snapt het idee.

   Wij ♥ vossen.

   'We moeten iets doen om ze tegen te houden,' zei ik.

   Opeen kreeg ik een idee. Er was een manier om mijn
elfenprobleem en professor Zurings vossentoestand in
één klap op te lossen.

   'Als ik professor Zurings tuin opruim, dan vinden
de vossen er daar niks meer aan. Dan gaan ze ergens
anders wonen!' Dat flapte ik er zomaar uit. Geniaal!

   Tijdens dit hele vossengesprek had Stink zich verdekt
opgesteld achter het gordijn. Op het moment dat ik zei
dat ik Zurings tuin wilde opruimen sprong ze achter het
gordijn uit en ze begon wild
met haar hoofd te
schudden. Allebei haar
duimen staken
omlaag.

Ze deed net of ze een scheet liet, kneep haar neus dicht en wapperde met haar hand voor haar gezicht alsof ze wilde zeggen: 'Dat idee van jou stinkt.'

Mam kon dit niet zien, want ze zat met haar rug naar het raam.

Ik begreep wat Stink wilde zeggen. Ze had geen zin om professor Zurings tuin op te ruimen. Ik begreep ook waarom, want ze had uren uit het raam zitten staren en wist dat het daar een ongelofelijke rotzooi was.

Maar ik weet wat me te doen staat. En hoeveel nepscheten Stink ook laat, ze gaat me helpen om die tuin leeg te krijgen. Dat is niet alleen leuk voor die oude professor Zuring, het is ook goed voor de vossen. En de gemeente hoeft geen geld te verspillen aan dure ongediertebestrijders.

Morgen gaat Stink haar honderd pingels verdienen en dan verdwijnt ze weer naar Elfenland. Ik kan niet wachten!

Mam was de kamer nog niet uit of Stink vloog naar mijn gezicht. Ze greep een pluk haar en zwaaide heen en weer voor mijn ogen.

'We gaan die stomme tuin niet opruimen, Danny Rekels!'

'Echt wel,' zei ik.

'We gaan door tot professor Zuring de best opgeruimde tuin OOIT heeft. En dan krijg jij je vleugels en daarna donder je op!'

8. Donderdag

Gelukkig voor mij is het zomervakantie, dus ik kon direct na het ontbijt gaan aanbellen bij professor Zuring.

Ik droeg oude kleren en tuinhandschoenen en ik had een roestige snoeischaar bij me. Ik was helemaal klaar voor de GOEDE DAAD.

'Bah,' zei professor Zuring toen ze had opengedaan en mij zag staan. 'Jij bent toch die jongen van hiernaast? Wat moet je?'

Je weet toch wel hoe oude dametjes meestal zijn? Nou, professor Zuring is precies het tegenovergestelde.

Het gerucht gaat dat professor Zuring vroeger zwemles gaf. Dat kan ik best geloven, want ze heeft altijd een fluitje om haar nek en ze zwemt iedere dag in zee, het hele jaar door. Ze kan ook ontzettend goed commanderen en heeft zo'n stem die met gemak boven een lawaaierig zwembad uit komt. Niemand weet in welk vak ze professor is. Het is een mysterie.

'Hallo,' zei ik. 'Mag ik alstublieft uw tuin opruimen?'

Zuring trakteerde me op een van haar beruchte starende blikken.

Ik werd helemaal koud vanbinnen en voelde me zo ellendig dat mijn ontbijt omhoogkwam in mijn keel. Eerst proefde ik melk, en toen zelfs een stukje van een honingringetje.

'Waarom zou je dat IN HEMELSNAAM willen doen?'
snauwde ze. 'Je krijgt geen geld van me.'

Stink siste in mijn oor: 'We gaan, Danny. Dit is
een slecht idee. Ik wil met Sofie naar *Timmy Tijd*
kijken.'

Ik lette niet op haar en zei tegen Zuring: 'Ik hoef
geen geld. Ik wil gewoon iets aardigs doen.'

Zuring kneep haar ogen wantrouwig samen. Ik snapte
best waarom. Ze kent me al mijn hele leven en ik
heb nog nooit iets aardigs voor haar gedaan.

'Ik geloof je niet,' zei ze.

Ik vertelde snel dat Jasper Bulk
had geklaagd bij de
gemeente, en dat ze een
ongediertebestrijder op
haar af wilden sturen.
Ik legde mijn plan uit
om de vossen zover
te krijgen dat ze zouden
verkassen.

'Daarom wil ik uw tuin opruimen,' zei ik.

'Ik doe het voor de vossen. Ik ben namelijk gek op vossen.'

Zuring bleef maar STAREN.

STAAR STAAR.

 STAAR STAAR STAAR.

'Ik ook,' zei ze uiteindelijk. 'Laat jezelf maar binnen door de poort. Je mag niet bij mij naar de wc.'

BAM! Ze gooide de deur in mijn gezicht dicht. Een seconde later keken haar ogen door brievenbus.

'Zorg dat je al je rotzooi zelf weer opruimt. En je maakt niks dood. Nog geen worm!'

Klepper.

Weg was ze.

9. De tuin van professor Zuring

Vandaag heb ik geleerd dat iets wat je van een afstandje bekijkt – bijvoorbeeld vanuit je slaapkamerraam – er van veraf beter uitziet dan van dichtbij.

'Dat heb je mooi voor elkaar, STOMKOP,' zei Stink bemoedigend. Ze zat nog steeds in mijn haar, maar had haar hoofd naar buiten gestoken om rond te kijken. 'Dit is geen tuin, dit is één grote chaos. Het is letterlijk een takkezooi. Een explosie van blaadjes! Moet je zien, er is een schuur aan die boom gegroeid! Daar ligt een vijver van fruit! En overal lopen paarden!'

'Dat zijn geen paarden,' zei ik. 'Dat zijn vossen.'

'Wat weet jij daar nou van, Danny? Voordat ik bij R.E.E.T. aan de slag kon moest ik *Mensjesland voor beginners* lezen, en die dingen daar zijn páárden.'

Stink heeft *Mensjesland voor beginners* niet zo heel goed gelezen, of anders staat het vol fouten, want de beesten die in Zurings tuin liggen te zonnen zijn honderd procent vos.

Ik had al eerder vossen
de tuin in en uit zien sluipen,
maar ik had niet door hoeveel
het er waren en hoe brutaal
ze waren geworden.

Ik baande me een weg
naar de fruitvijver in het
midden van de tuin (een opgedroogd vijvertje waarin
een braamstruik was opgekomen) en keek om me
heen.

Stink had op één punt gelijk. De tuin was een bende.
Het was zo erg dat ik niet goed wist waar ik moest
beginnen, dus ik zette Stink op een leeg vogelbadje en

vroeg wat we het
eerst moesten
doen.

'Hoe moet ik
dat nou weten?'
zei ze. Ze gaapte
verveeld.

'Omdat je voor R.E.E.T. werkt en bent opgeleid om mensen te assisteren,' zei ik. 'En ik ben een mens, en ik heb assistentie nodig.'

Ze haalde haar schouders op. 'Eerlijk gezegd heb ik niet geluisterd tijdens de opleiding, Danny.'

'Als je niet eens PROBEERT om me te helpen, dan krijg je die Zilverschichten nooit!' zei ik.

Met een zucht kwam ze overeind. 'Oké. Ik tover wel weer iets fantastisch bij elkaar.'

Ze sprong van de rand van het vogelbadje en stortte half vliegend, half vallend naar beneden.

Ik kon haar bijna niet meer zien in het hoge gras, dus ik knipte met mijn snoeischaar een soort arena waarin ze kon werken.

Ze stampte met grote passen over de open plek in het gras. Om zichzelf op te peppen sloeg ze met haar minivuistje tegen haar minihandje en brulde: 'Kom op, S punt Tink, je kunt dit! Neem die tuin te grazen. VERWOEST dat groen!'

Ze deed een paar strekoefeningen en schreed naar het midden van de open plek. Daar nam ze haar positie in.

'Ga maar een stukje naar achteren, Danny,' zei ze. 'De spreuk die ik ga loslaten is behoorlijk pittig.'

Ik zocht dekking achter het vogelbadje.

Verder!

'Verder,' zei ze.

Ik verstopte me achter de strandstoel.

'Verder,' zei ze.

Ik verschanste me achter de schuur.

'Zo zou het moeten kunnen,' zei ze. Of eigenlijk schreeuwde ze, want ik stond nu heel ver weg.

Ze trok haar toverstok en gilde: 'GROEN ZEVENTIEN!'

Er schoot blauwe rook en een regen van sterren uit het topje van haar toverstok. Een bliksemschicht doorkliefde de hemel en de overwoekerde tuin. Het was indrukwekkend!

Tot de rook optrok.

Ik kon mijn ogen niet geloven.

'Stink, ken je ook spreuken die meer dan één grassprietje tegelijk dodelijk verwoesten?'

'Hahaha!' zei ze. 'Ik ben geen zwarte magiër, Danny!'

Toen hoorde ik gegrinnik...

Stinks spreuken

Elfenspreuken schijnen lang en ingewikkeld te zijn, dus Stink heeft ze een soort van afgekort door ze naar kleuren te vernoemen. Ze kan de spreuk weer ongedaan maken door de kleur achterstevoren te zeggen. Dit zijn de spreuken die ik haar tot nu toe heb zien doen:

Rood – plakt dingen aan elkaar, zoals mijn lippen.

Groen zeventien – een flits die sterk genoeg is om wel één grasspriet doormidden te klieven.

Gebroken wit – verandert lukraak de kleur van allerlei dingen.

10.
De terror-
tweeling

De grinnik kreeg gezelschap van een tweede grinnik.

Toen zei een spottende stem heel spottend: 'Wat doe je

daar, Danny Rekels?'

Ik keek op en zag dit:

Ik weet het. Doodeng.

Stink wierp één blik op de Bulk-tweeling en schoot als

een torpedo in mijn haar.

'Zijn dat volwassenen?' fluisterde ze.

Ik schudde heel kort mijn hoofd.

'Ze hebben anders net zulke grote stemmen!'

Zuring heeft buren aan twee kanten. De Rekels aan de ene kant (wij dus, aardige lui), en de Bulkjes aan de andere kant (akelige types). Fin en Fleur zitten bij mij op school, en zijn al net zulke valse, jankerige opscheppers als hun ouders.

'Hé!' brulde Fleur. 'Ik zei dus: wat doe je daar, Danny Rekels?'

'Niks,' zei ik.

Jawel, je doet wel iets. We hoorden dat je een piepstemmetje opzette.

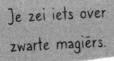
Je zei iets over zwarte magiërs.

Je deed een spelletje!

Je kletste tegen jezelf!

Ze barstten allebei precies tegelijk in lachen uit, als twee duivelse robots.

Stink brieste in mijn oor: 'Stuur die twee kledderelfen weg of ik laat ze net zo hard ontploffen als het gras!'

Ik wist bijna zeker dat Stinks toverspreuk niet sterk genoeg was om Fleur en Fin te laten ontploffen, maar ik durfde het risico niet te nemen. Ik zei dus iets waarvan ik zeker wist dat het de tweeling weg zou jagen.

'Ja, ik deed een spelletje. Willen jullie met me spelen?'

Fleur en Fin willen niks met me te maken hebben, want ik draag de verkeerde sneakers, pap doet hele gekookte eieren in mijn broodtrommel, ik kan voor geen meter voetballen, en, zoals ik eerder al zei, ik heb ze ooit per ongeluk mijn kont laten zien. In hun ogen ben en blijf ik een loser.

Een zwembroek glijdt niet lekker. Dat weet toch iedereen!

Nee, we willen niet met je spelen, maar we hebben wel een boodschap voor je van mijn vader. Hij is de tuin aan het voorbereiden voor mijn verjaardagsfeest. Het thema is chocolade, dus hij wil niet dat er blaadjes of stukjes gras komen aanwaaien van Zurings kant. Hij zei: 'Wat je daar ook aan het doen bent, zorg dat er NIKS in onze tuin terechtkomt!'

Ja!

Daarna verdwenen ze weer achter het hek.

'GETVER!' gilde Stink. Ze schoot uit mijn haar en maakte rondjes om mijn gezicht. 'Je had ze door mij moeten laten ontploffen!'

'Hou je bij het gras,' zei ik, en daarna gingen we verder met onze geweldige Goede Daad.

11. Dollen
met vossen

Tegen het eind van onze eerste echte goede-daden-
sessie was het ons niet gelukt om meer dan een klein
stukje tuin grasvrij te maken. Stink had bijna zeker nul
pingels verdiend.

Dat wist ik omdat ik zelf al het gras had afgeknipt
met mijn snoeischaar. Nadat Stink zeven sprieten had
geveld met haar Groen Zeventien-spreuk, verklaarde ze
dat ze bekaf was van al dat getover. De rest van de
middag bleef ze proberen om op een vos te rijden.

Stink was helemaal weg van de dikke vos, al beweerde ze dat hij over haar hoofd was gerend toen ze in het gras lag. Ze heeft hem Roosje genoemd, al is hij duidelijk een mannetje.

Een paar keer dacht ik dat Roosje haar zou opeten, maar ze kreeg het voor elkaar om alle vossen te temmen met de spreuk 'Gebroken Wit'.* Die verandert dingen van kleur, en het is de beste spreuk die ik haar heb zien doen.

Er lopen nu dus een paar gewone oranje vossen rond in Zurings tuin, plus een roze en een zwarte vos, een vos met witte strepen (Roosje) en een vos met gele vlekken (de vos met de halve staart). Er is ook een regenboogvos (het kleinste jonkie).

Professor Zuring is die hele dag maar één keer naar buiten gekomen.

*Zie pagina 53.

Na de lunch gooide ze een bak met schillen in een enorm gevaarte bij de achterdeur.

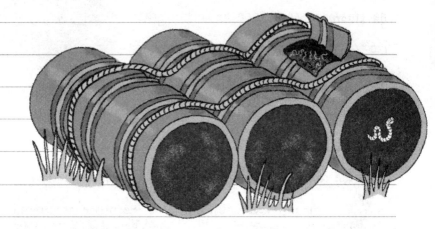

Ze legde haar handen erop en zei: 'Dit is mijn wormenhotel. Afblijven!' Daarna ging ze weer naar binnen.

Ik kreeg geen verse warme koekjes en ook geen glas veel te sterke ranja. Ze gaf me geen briefje van vijf omdat ik mijn rug stond te breken in haar tuin.

Welnee. Professor Zuring heeft de hele dag op de bank gehangen en chips gegeten terwijl ze oude videobanden van de Olympische Spelen bekeek.

Dat weet ik omdat ik door de tuindeuren naar binnen kan kijken als ik op de rand van het vogelbadje ga staan.

Videobanden! Wie kijkt er nog naar videobanden? Nou, professor Zuring dus.

12. De rattendiefstal

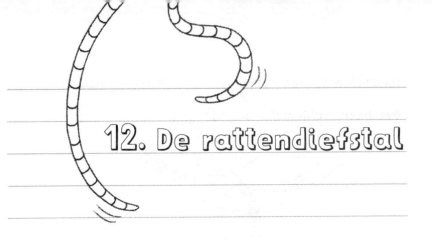

Na het eten schuifelde ik naar mijn kamer, krom van de spierpijn door al dat grashakken, en daar kreeg ik de schrik van mijn leven.

Inderdaad, Stink probeerde Guus te stelen. Ze wilde hem meenemen naar Elfenland.

'Mag ik hem een uurtje lenen?' smeekte ze. 'Alsjeblieeeeeeft, Danny. Fandango slaat groen uit van jaloezie. Hij is altijd overal beter in dan ik en hij heeft veel coolere spullen. Het zou te gek zijn als hij me zag rondrijden op een babydraak. Daar komt hij nooit meer overheen, echt niet.'

'NEE!' Ik schermde Guus met twee handen af.

Stink trok haar allersluwste gezicht.

De reden dat ik die sluwe blik zo goed ken is dat ik hem al heel vaak heb getekend in mijn strips over Rooie Rover. Rover kijkt altijd zo als hij een of andere streek gaat uithalen.

'Danny,' zei ze. 'Je zei toch dat ik een goede daad moet doen? Dat ik mijn vleugels moet verdienen zodat ik weer opdonder?'

'Ja?'

'Waarom wil je eigenlijk zo graag van me af?'

Ik overwoog om te liegen, maar Stink heeft zo'n blik waarbij ze je blijft aankijken zonder met haar ogen te knipperen, en dan is het gewoon niet te doen.

'Omdat ik bijna naar de middelbare school ga,' zei ik. 'Ik heb nu nog vakantie, maar maandag moet ik weer naar school en dan kan ik niet meer voor je zorgen.'

En dit is wat ik ondertussen dacht: zet het maar rustig uit je BOLLE HOOFD dat ik aan de middelbare school ga beginnen met een elfje in mijn haar.

Er zijn nu al hartstikke veel dingen die tegen me werken. Mam heeft een jasje voor me gemaakt dat zeker twee maten te groot is, en ik moet een paar werkschoenen van pap aan die hij zelf niet wil dragen omdat ze te veel glimmen en te puntig zijn, en ik krijg niet eens een nieuwe rugzak van mam terwijl er een eenhoorn op die van mij staat. Ik zag pas dat het een eenhoorn was nadat

ik die tas had gekocht. Ik dacht dat
het een plaatje van het heelal was,
en dat was ook zo, alleen heeft dit
heelal de vorm van een eenhoorn. Ik
heb geprobeerd om de eenhoorn te verstoppen
onder buttons, maar hij heeft een joekel van een hoorn
en ik heb niet genoeg buttons om die helemaal te
bedekken. Maakt ook niet uit, mijn punt is dat ik Stink
never NOOIT niet meeneem naar de middelbare school.
   Natuurlijk hield ik dit allemaal voor me, maar toch was
het net alsof Stink ieder woord had gehoord.

Jij wil echt heel graag van me af,
hè, Danny Rekels?

   'Nee,' loog ik. 'Ik gun je gewoon je nieuwe
vleugels.'
   'Ik weet het goed gemaakt. Als ik Guus een uurtje of
twee mag lenen, dan haal ik bij mijn boomgat iets op wat
die tuin in een mum van tijd helemaal opruimt. Beloofd!'
   'Wat is een boomgat?'

'Daar woon ik. Het is een gat. In een boom.'

Ik had Guus nog steeds in mijn handen. Hij snuffelde voorzichtig aan mijn vingers en keek me even aan met zijn lieve zwarte ogen voor hij zijn snorharen begon te poetsen. Ik kreeg ook een paar likjes.

'Oké, je mag hem een uur hebben,' zei ik.

Veroordeel me nou niet. Denk aan mijn eenhoornrugzak en paps schoenen.

We kregen Guus de elfendeur in door een pinda naar binnen te rollen. Met Stink op zijn hielen draafde hij erachteraan. 'DOEI, DANNY REKELS!' gilde ze.

De deur sloeg hard dicht.

Ik wachtte een paar seconden. Toen probeerde ik de deur weer open te doen, want ik wilde opeens per se weten hoe Elfenland eruitzag. De deur zat potdicht. Stink is blijkbaar de enige die hem open kan krijgen, dus ik moest me behelpen met het brievenbusje. Ik hield het open met een pen zodat ik naar binnen kon kijken.

Veel kon ik niet zien, maar ik ving wel een vleug op van een vieze geur – natte hond, beschimmelde boterhammen en nog een spoortje van iets anders... Verschrompelde paddenstoelen? Klamme sokken? Ik had gedacht dat Elfenland lekkerder zou ruiken.

En nu zijn Stink en Guus dus weg, en Tonnie en ik zijn achtergebleven.

Kijk. Dit zijn de eenzame voetstapjes van Tonnie:

Ik maak me zorgen om Guus, maar ik vraag me vooral af wat Stink gaat meenemen uit haar boomgat... Een sterkere toverstok? Een soort elfenonkruidverdelger? Toverpoeder waarmee je gras in regenbogen kunt veranderen?

Ik kan niet wachten tot ik erachter ben!

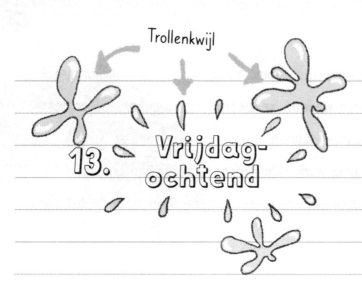

13. Vrijdag- ochtend

Het is een trol. Stink heeft hem vannacht naar mijn slaapkamer gebracht. Hij zit in de kooi van Tonnie en Guus, en die zijn daar niet blij mee.

Het eerste wat ik aan Stink heb gevraagd is hoe ze hem door de elfendeur heeft gekregen, want de trol is net zo groot als Roosje de dikke mannetjesvos.

'O, gewoon met Geel,' zei ze. 'Dat is een krimpspreuk.'

Ik vroeg waarom ze Geel niet had gebruikt voor het hoge gras van Zuring, en ze legde uit dat de spreuk niet zo lang werkt. Ze had net genoeg tijd om de trol in de rattenkooi te krijgen voor hij weer uitzette tot zijn normale formaat.

'Dus je woont samen met die trol in dat boomgat?' vroeg ik.

'Nee, hij is mijn buurman. Hij heeft zijn eigen boomgat,' zei ze. 'Hij eet mijn vuilnis. Daarom heb ik hem meegenomen. Je wil niet weten hoe snel hij al die troep in Zurings tuin kan wegwerken!'

De trol gaapte, en onthulde een muil vol gemene gele tandjes. Ze zagen er vlijmscherp uit...

Je snapt vast wel dat ik zenuwachtig werd van die trol in mijn slaapkamer, vooral omdat trollen 'alles' eten volgens Stink. Ik heb Guus en Tonnie tijdelijk verhuisd naar mijn doos met LEGO.

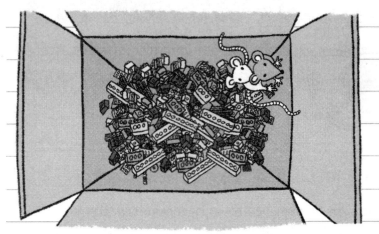

De trol zit te snuffelen en te grommen in de rattenkooi, en ik ben misselijk van de zorgen. Deze elfentoestand begint behoorlijk uit de hand te lopen.

Ik zou naar pap en mam kunnen gaan, maar dan willen ze Stink per se zien. Dan smelt ze, en dan ben ik een elfenmoordenaar die OOK NOG opgescheept zit met een trol die te groot is om terug te kunnen naar Elfenland.

Ik had nooit gedacht dat het leven van iemand van elf zo ingewikkeld kon zijn.

Zo gauw Stink haar nieuwe vleugels heeft en terug is in Elfenland sloop ik die stomme deur.

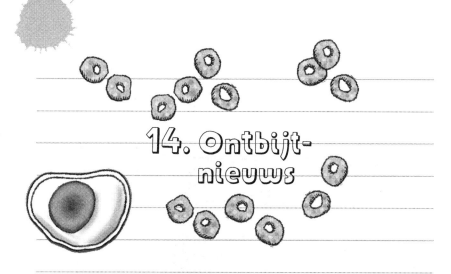

14. Ontbijt- nieuws

Update. Ik ben me net kapotgeschrokken. Sofie kwam
de keuken binnen met haar poppenkinderwagen en
daarbinnen bewoog iets. Het was de trol! Ze had hem
in een kruippakje gehesen en hem vastgebonden met
haar maillots. Frieda begon direct aan de kinderwagen te
snuffelen.

Deze drie dingen zorgden ervoor dat mijn familie de trol niet opmerkte:

'Kijk! Ik heb een monster gevonden in Danny's kamer!' zei Sofie.

'Een monster... Gaaf.' Mam sloeg een bladzijde om.

'Leuk, Soof,' zei pap terwijl hij aan zijn mok rook.

'Sst!' deed Jasmijn.

Stink had zich zoals altijd verstopt in mijn haar. 'Denk eraan, trollen eten ALLES, Danny,' siste ze in mijn oor.

Nog geen seconde later stopte Sofie haar vinger in de mond van de trol.

'Monster is lief!' zei ze.

WAF!

WAF!

WAF!

WAF!

Frieda ging door het lint en gromde en grauwde tegen de trol.

Ik moest ingrijpen voordat pap en mam zouden opkijken, dus ik probeerde het met iets waar ik anders altijd onderuit probeer te komen: 'Zullen we samen spelen, Soof?'

Als door de bliksem getroffen keek mam op uit haar boek. Ze kneep haar ogen wantrouwig tot spleetjes. 'Danny, ik dacht dat jij bezig was om de tuin van professor Zuring op te knappen. Je probeert er toch niet onderuit te komen?'

Ik moest zorgen dat ze weer in dat boek dook, want achter haar gebeurde van alles.

'Tuurlijk niet. Ik neem Sofie mee. Ze mag me helpen!'

'Oké,' zei mam opgetogen. 'Wspaniały! Teraz mogę się dowiedzieć, kto zabił mleczarz.'*

Wie laat er nou haar geliefde dochtertje van drie in een tuin vol vossen spelen met een elfjarige babysitter? Mijn moeder dus, als ze nog maar een paar hoofdstukken hoeft in haar gruwelijke thriller.

Ik sleepte Sofie mee naar boven en zei dat ze oude kleren moest aantrekken. Ondertussen zit ik dit te schrijven. Duimen, lief dagboek! De volgende keer heb ik hopelijk goed nieuws voor je!

(*Heb ik al gezegd dat mam Pools is? Ze zei net: 'Geweldig! Ik ben er bijna achter wie de fret heeft vermoord.' Al heb ik misschien niet alles helemaal goed verstaan.)

15. Vrijdagavond

Ik ben bang dat ik alleen maar slecht nieuws heb.

Stink zit in bad met Sofie en er loopt een ontsnapte

trol door onze stad.

Dit is wat er is gebeurd.

Zuring was iets vriendelijker toen ik vandaag met Sofie kwam aanzetten. Er flitste zelfs een glimlachje over haar gezicht toen ze Sofie dat kinderwagentje zag duwen, maar ze zei toch: 'Je mag nog steeds niet bij mij naar de wc.' Daarna ging ze weer naar haar video's. Vandaag heeft ze *Pirates of the Caribbean* gekeken en een paar zeilraces.

Misschien is dat wel de verklaring voor haar eeuwige blote benen en teenslippers. Misschien is ze een matroos. Hebben matrozen een fluitje om hun nek?

Daarna heb ik Sofie dus hoog in de boomhut gezet (die moet van de vorige bewoners zijn geweest, want ik kan me niet voorstellen dat Zuring erin speelt), en daarna zette ik me schrap om de trol los te laten zodat die al het

onkruid kon wegvreten. Sofie had de trol heel stevig

vastgebonden, zeker voor een meisje dat haar eigen

broek niet eens dicht kan krijgen.

'Laat mij dit maar doen,' zei

Stink. 'Volgens mij is-ie boos.'

Dat was zo. De trol was

zo boos dat ik me begon

af te vragen of we hem

wel los moesten maken.

'Weet je zeker dat dit

een goed idee is, Stink?'

'Het is een fantastisch

idee, Danny. We laten

de trol al het gras en

het onkruid in de tuin

opeten. Dat zou in een

halfuurtje gepiept moeten

zijn. Daarna laat ik hem

krimpen met de Geel-spreuk en

dan gooien we hem weer naar binnen in Elfenland.'

Als je haar zo hoorde praten leek het best een goed plan, maar ik klom voor de zekerheid toch ook maar in de boomhut. Ik plofte neer naast Sofie en we gingen er eens goed voor zitten om de trol aan het werk te zien.

Ook de vossen keken toe. Ze hadden zichzelf in veiligheid gebracht op het dak van het schuurtje.

'Daar gaan we!' brulde Stink terwijl ze de laatste knoop uit Sofies maillot haalde.

De trol scheurde als een hongerige tornado door de tuin en schrokte alles wat op zijn pad kwam naar binnen.

In het begin was het fantastisch. Soof en ik zaten te klappen en te juichen. Stink stond beneden op het vogelbadje en schreeuwde dingen als:

Eet die boom op!

En nu die struik!

Zo ja! Werk de kruiwagen ook maar naar binnen!

Nee. Niet die vos. Spuug uit.
SPUUG HEM UIT!

Dit is wat de trol heeft opgegeten:

17 struiken

Al het gras

6 bomen

Alle doornstruiken

1 kruiwagen

Bergen brandnetels

1 winkel-wagentje

Kabir (mijn beste vriend)

Je leest het goed. De trol heeft de bovenste helft van mijn beste vriend Kabir opgegeten.

Ik had er niet op gerekend dat Kabir zou komen opdagen. Hij is vast eerst naar ons huis gegaan, en toen heeft mam hem hierheen gestuurd. Arme Kabir, of arme Ya-Mam.*

Kabir liep door de tuin, spotte mij en Sofie in de boomhut en zei: 'Hoi.' Daarna werd hij van zijn hoofd tot zijn middel opgeslokt.

*Kabirs geflopte bijnamen

Al sinds Kabir en ik samen bij juf Herder in de eerste klas zaten probeert hij een bijnaam te krijgen.

Deze bijnamen zijn niet aangeslagen:
- K-Baas
- Ya-Mam (deze bleef soort van hangen omdat hij zich soms als een moeder gedraagt. Hij heeft altijd pleisters en geld in zijn zak 'voor het geval dat' en hij wordt niet graag vies)
- De Hakker
- Dokter Cool
- The Kid

Ik sprong naar beneden uit de boomhut en greep Kabirs voeten. Stink trok haar toverstok, klaar voor een spreuk. Sofie zat erbij te lachen alsof ze nog nooit zoiets grappigs had gezien.

Uiteindelijk redde Kabirs skateboard zijn leven. Hij sleept dat ding overal mee naartoe (al kan hij helemaal niet skateboarden) en een van de wieltjes bleef haken achter de tanden van de trol.

De trol begon te hoesten, ik trok, en Kabir schoot uit de trollenmond. Er kwam een hele lading trollenspuug mee.

Stink gilde: 'Geel!'

De trol kromp onmiddellijk tot hij zo klein was als een muis en rende onder het schuurtje. Kabir was compleet over de rooie. Hij werd zo hysterisch dat hij rondjes begon te rennen terwijl hij 'HELP HELP HELP!' krijste, waarop Stink besloot om hem ook te laten krimpen.

'GEEL!'

BOEM!

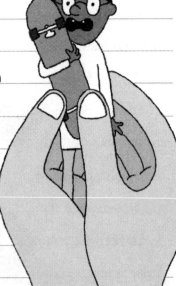

HELP!

HELP!

HELP!

HELP!

Nu werd ik hysterisch. 'Stink, waarom doe je dat nou?'

'Omdat het pijn deed aan mijn oortjes!' zei ze.

Ik tilde de muisgrote Kabir op (om te voorkomen dat de vossen hem op zouden eten) en hield hem goed vast.

'Niet te geloven dat je mijn beste vriend hebt laten krimpen, Stink!'

'Tijdelijk,' zei ze.

Ik moest snel weer grip zien te krijgen op de situatie, waar Sofie zich trouwens nog steeds rot om lachte. De trol was nergens meer te bekennen, dus ik nam mini-Kabir mee naar de boomhut zodat hem niks zou overkomen. Stink wilde ook mee. Ze klampte zich vast aan mijn schouder.

Uiteindelijk was Sofie degene die het voor elkaar kreeg om Kabir te kalmeren. Ze heeft een hamster (Sjaan) waar ze dol op is, en ze zette Kabir op schoot en begon hem te aaien zoals ze Sjaan altijd aait: hard en aan één stuk door.

Het zag er nogal pijnlijk uit. Maar het werkte, want Kabir hield zijn kop.

Toen hij weer normaal ademde ging ik op mijn knieën zitten en ik legde zo goed mogelijk uit wat er aan de hand was. Dit is de korte versie:

Mijn verjaardag... blabla... stom cadeau... elfendeur... Stink... pingels... blabla... goede daad... Zuring... trol... jij... opgegeten.

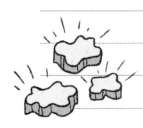

Opeens groeide Kabir terug naar zijn normale grootte. Eén keer met je ogen knipperen en het was gebeurd. Het ene moment zat mini-Kabir nog bij mijn zusje op schoot, en KNIPPER, daar zat de gewone Kabir weer.

Sofie bleef aaien om hem op schoot te houden...

...maar hij rolde van haar af.

'Waar is die elf dan?' zei Kabir nerveus (want ik had hem verteld dat ze hard kon bijten en met haar toverstok prikte).

'Ze zit op mijn schouder naar je te kijken,' zei ik.

'Hallo,' zei Stink.

Kabirs ogen werden groot en zijn mond viel open, maar hij herstelde zich snel.

'O ja, dat is een elfje,' zei hij terwijl hij zijn schouders ophaalde. 'Vroeger had ik er ook een, alleen die was groter.'

Voor je verdergaat moet je meer weten over... KABIRS LEUGENS.

Mijn vriend Kabir is een leugenaar. Hij beweert altijd dat hij het beste, grootste, nieuwste of zeldzaamste van alles heeft. Je zou misschien denken dat het vervelend is om een vriend te hebben die alles bij elkaar liegt, maar dat is dus niet zo. Kabirs leugens zijn zo GIGANTISCH dat het weer grappig wordt. Dit zijn een paar van zijn beste leugens. Ik heb er ook iets tussen gezet wat waar is. Kijk maar of je het kunt ontdekken.

1. Iedereen denkt dat Kabirs vader loodgieter is, maar eigenlijk werkt hij voor de FBI en plaatst hij spionage-apparatuur in kranen.

2. Diezelfde spionerende en loodgietende vader kwam door de voorrondes van *The Voice*, maar hij mocht niet meedoen van zijn bazen bij de FBI omdat het hele land dan zijn gezicht (en stem) zou herkennen.

3. Kabir is ooit tegen een boom gebotst toen hij een wheelie deed op zijn fiets. De boom viel om, boven op een oud vrouwtje.

4. Hij heeft een zwarte weduwe gevonden in een zak druiven.

5. Het mobieltje van zijn moeder is gemaakt van massief goud.

6. Hij heeft ooit zijn hand tussen de deur van de bieb gekregen en daarbij AL zijn vingers afgehakt. Gelukkig heeft zijn moeder ze in een zak diepvriesfriet gestopt, zodat ze vers bleven tot ze weer aan zijn hand konden worden gezet. Daarom eet Kabir nooit friet, en zeker niet met zijn vingers.

7. Kabir was zijn moves aan het oefenen op de skatebaan toen Dwayne 'The Rock' Johnson voorbijliep met zijn hond. De hond rende weg, maar Kabir racete keihard van de heuvel af op zijn skateboard en kon hem vangen. Toen hij de hond teruggaf stotterde The Rock: *'Thanks, k-kid.'* (En daarom vindt Kabir dus dat iedereen hem The Kid moet noemen.)

8. Hij zat in een vliegtuig met twee ontsnapte slangen.

KABIR # ULLAH

9. Zijn tweede naam is het symbool #.

(Het verhaal over de boom en het oude vrouwtje is waar, maar het was een heel klein boompje dat in een pot in het tuincentrum stond, en het oude vrouwtje had niks.)

Ik kon dus maar moeilijk geloven dat Kabir ooit een elfje had gehad, maar ik kreeg niet de kans om dat te zeggen. Mam stond opeens in de tuin.

'Wauw, dit is vakwerk,' zei ze. 'De afwerking kan beter, maar dat snoeien we nog wel bij.'

Daarna nam ze Sofie, die hevig tegenstribbelde, mee voor de lunch. Dat was fijn. Ik moest die trol gaan zoeken, en het valt niet mee om tegelijkertijd te babysitten en op trollen te jagen.

'Luister, jullie allebei,' zei Stink. Ze vloog op en neer tussen mij en Kabir en porde ons met haar toverstok.

'We moeten die trol vinden voor hij iets opeet waar hij vanaf moet blijven.'

'Zoals?' vroeg ik.

'Jou,' antwoordde ze.

Kabir en ik begonnen nerveus naar de trol te zoeken in Zurings halflege tuin.

Ik keek net onder het schuurtje toen ik iemand hoorde jengelen: 'Door jou liggen er BLAADJES in onze TUIN!'

'Onze vader MAAKT je AF!' zei een tweede, al even jankerige stem.

Inderdaad. De tweeling was terug.

17. Vlotten en chocolade

Fleur en Fin hingen weer eens over het tuinhek.

'Kijk nou wat je gedaan hebt!' zei Fleur.

Stink dook in mijn haar, en Kabir en ik tuurden over het hek. Er lag inderdaad hier en daar een blaadje op het verder onberispelijke gazon. Als je bedacht hoe verschrikkelijk die trol tekeer was gegaan in Zurings tuin, dan was dat eigenlijk een wonder.

'Er liggen een paar blaadjes. Nou en?' zei Kabir. 'Ik ben net opgegeten door een trol.'

Fleur en Fin trokken allebei precies hetzelfde gezicht: ongeloof vermengd met walging.

'Wat kun jij toch liegen, Kabir Ullah,' zei Fin.

Dat irriteerde me. Hoewel wat Fin zei helemaal klopte, sprak Ya-Mam deze keer voor 100 procent de waarheid. Daar komt bij dat Kabir niet expres liegt. Hij vertelt gewoon graag een goed verhaal. Bovendien is hij MIJN beste vriend, dus ik ben de enige die hem een leugenaar mag noemen. Ik deed mijn mond al open om hem te verdedigen, maar Kabir was me voor.

Ik lieg niet en er zit een elfje in Danny's haar.

Op dat moment siste iemand ergens boven mijn oor:

Laat hem zijn kop houden! Die twee gaan me verklikken bij de volwassenen en daar komt tover-smurrie van en dan ben ik DOOD!

92

HAHA! Goeie, Kabir. O, kijk, ze zet zich schrap om uit mijn haar te vliegen om jou te laten krimpen en je te bijten, want ze vindt het HEEL belangrijk dat we haar geheimhouden!

Gesnopen!

Doe even normaal EN hou op met blaadjes op ons gazon gooien. Ik geef een verjaardagsfeest met chocoladethema, weten jullie nog?

Dat vatte Kabir op als een teken om sarcastisch te gaan doen. Daar is hij bijna net zo goed in als in liegen.

'Oooo, een paar blaadjes! Snel, bel de politie,' zei hij terwijl hij zijn telefoon pakte en deed of hij het noodnummer belde. 'Hallo,' zei hij in zijn telefoon. 'Ik wil graag een ernstig misdrijf aangeven. Er liggen drie illegale blaadjes op het gras van de familie Bulk. Kunt u direct iemand sturen? Fijn. Uw allerbeste rechercheur graag. Of stuur er eigenlijk maar gelijk drie, één voor ieder blaadje. Bedankt. Tot zo!' Hij stopte zijn telefoon weer in zijn zak en grijnsde naar Fleur en Fin.

Stink zat te grinniken in mijn haar.

Fleur en Fin grinnikten niet.

Fin gromde.

GRRR!

Fleur werd rood en haar oogjes werden zo klein als kiezelsteentjes. 'We versieren de tuin voor mijn verjaardagsfeest met chocoladethema. Dat is morgen en dan mogen er geen blaadjes rondslingeren. Die kunnen de chocoladefontein verstoppen!'

'Ja!' zei Fin. 'Of ze blijven

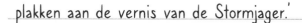

plakken aan de vernis van de Stormjager.'

'Wat is de Stormjager?' vroeg ik.

'Dat is de Stormjager!' Fin wees naar hun terras.

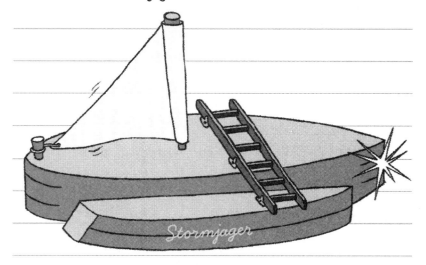

Fleur haalde een foldertje uit haar zak en hield het over het hek. 'Morgen, als ik mijn verjaardagsfeest met chocoladethema vier...' (JA, FLEUR, WE SNAPPEN HET. HET THEMA VAN JE VERJAARDAGSFEEST IS CHOCOLADE) '...gaat Fin iets anders doen omdat hij ook jarig is. Hij heeft samen met mam een vlot gebouwd, en ze gaan samen de Zotte Vlottenrace van Murmel aan Zee winnen.'

Er klonk een razend gegrauw en ik draaide me met een ruk om.

'Wat spoken jullie daar uit, stelletje ploerten?' Professor Zuring stond op de veranda te foeteren. 'Is mijn tuin tegenwoordig een jeugdhonk? En wat gaan we daarna krijgen? Gaan jullie hier een disco bouwen? Dansjes doen en priklimonade drinken?' Ze stampte op ons af. Fin en Fleur verdwenen als de bliksem achter hun hek. De folder dwarrelde naar beneden.

'Waar komt die extra jongen vandaan?' Zuring prikte met een vinger naar Kabir. 'En wie heeft er afval in mijn tuin gegooid?' Ze griste de folder van de grond.

Op dat moment vuurde Stink een nieuwe spreuk af
– Mauve – en er floepte een staart uit de achterkant
van Zurings wielrenbroek.

'Stink!' siste ik.
'Sorry,' zei ze. 'Ik mikte op de tweeling.'

18. De race

Tot onze verbijstering merkte professor Zuring haar nieuwe staart niet eens op (hij was geel en pluizig, een beetje zoals die van een golden retriever). De folder had haar volle aandacht.

'Doe iets aan die staart,' snauwde ik zachtjes tegen Stink voor ik begon te rennen. Het plan was om Zuring af te leiden terwijl Stink de spreuk ongedaan maakte door 'EVUAM!' te roepen.

Maar het was helemaal niet nodig om Zuring af te leiden. Ze kwispelde met haar staart en kon haar ogen niet van de folder afhouden:

OPROEP AAN ALLE ZOUTE ZEEBONKEN!

ZEESCHUIMERS EN SCHEEPSRATTEN, MURMEL
AAN ZEE HOUDT EEN ZOTTE VLOTTENRACE!

KOM OP ZATERDAG 28 AUGUSTUS
MET JE ZELFGEBOUWDE ZEEWAARDIGE
VAARTUIG NAAR DE VISCLUB. WE VAREN
UIT ALS DE KLOK TWAALF SLAAT.

EERSTE PRIJS: EEN OPBLAASBAAR
SUPBOARD.

YO HO HO! VEEL SUCCES,
DEKZWABBERS!

Kies het ruime SUP!!

'Een sup,' zei ik, meelezend over haar schouder. 'Ik wil
zó graag een sup...'

'Ik heb er al een,' zei Kabir aarzelend.

'Pah!' Zuring propte de folder in haar zak en beende
naar de andere kant van haar halflege tuin. Ze schopte
de poort in het hek open.

Ik begin het idee te krijgen dat Zuring alles even heftig aanpakt. Zij en Stink hebben een hoop gemeen.

Over Stink gesproken...

Ze schoot uit mijn haar, richtte haar toverstok en brulde: 'Evuam!' Zurings staart verdween in een wolkje blauwe rook.

'Hé!' Zuring kon bulderen als een majoor in het leger. 'Discoguppen! Kom mee! Ik wil jullie iets laten zien.'

Stink kroop weer in mijn haar terwijl we Zuring naar het hek volgden. Dit is wat we zagen:

Soms vergeet ik dat er een rivier achter onze
tuinen langs loopt. Hij stroomt voorbij de visclub
en komt uit in zee. De rivier is een van de redenen
dat pap en mam ons huis hebben gekocht, maar
sinds we hier wonen is het hek nog niet van het slot
geweest. Sofie is niet te vertrouwen als er water in
de buurt is (of snoep, of dieren, of mobiele telefoons,
of trappen, of jam, of scharen, of kauwgum, of
tandpasta).

'Wat doet dat gare
wrak daar?' Kabir wees
naar de boot.

'Dat is een
hippodepiepmuis,'
fluisterde Stink
zelfverzekerd. 'Die ken
ik uit *Mensjesland voor*
beginners. Hoofdstuk
zes, Enge dieren.'

Mensjesland voor begginers

6. Enge dieren!!

Hippodepiepmuis

Zuring keek Kabir verontwaardigd aan. 'Noemde jij de Barracuda nou een GAAR WRAK? Ik zal je eens vertellen wie er hier een gaar wrak is, jochie. DAT BEN JIJ!' Bij die laatste woorden gaf ze hem een harde duw tegen zijn buik.

'De Barracuda was het beste zeiljacht dat deze wateren ooit heeft bevaren.' Zuring staarde weemoedig naar het gare wrak dat uit het water stak. 'Ze schoot sneller over de golven dan een kat die in een wespennest is gaan zitten.'

'Wat is er met haar gebeurd?' vroeg ik.

'Jasper Bulk, dat is er met haar gebeurd.' Zuring keek opzij, naar het huis van de Bulkjes. 'Hij klaagde dat ze te hard ratelde en rammelde in de wind. En toen ik de volgende dag buiten kwam, trof ik haar zo aan. Vermoord... Ik kan niet bewijzen dat hij het heeft gedaan, maar ik voel het aan mijn water... Hij liep de hele dag te fluiten, en die man fluit nooit.'

'Waarom vist u die boot niet gewoon uit de rivier om haar weer op te knappen?' vroeg Kabir.

'Denk je soms dat ik een geldboom heb?' snauwde Zuring. Ze ging iets vriendelijker verder. 'Ze was echt een magnifiek schip.'

Ik kan niet voor Kabir spreken, maar ik had opeens medelijden met Zuring. De hele dag video's kijken over zeilen, terwijl ze vroeger altijd zelf ging varen.

Heel even vroeg ik me af of Stink en ik de boot zouden kunnen repareren. Misschien wilde Zuring mij en Kabir dan wel zeilles geven... Ik zou hartstikke bruin worden en eindelijk leren duiken, en wie weet vond ik dan wel een gezonken schip!

'Hé, Stink,' fluisterde ik. Haar hoofd verscheen ondersteboven voor mijn gezicht. 'Kun je Zurings boot niet repareren met een of andere toverspreuk?'

Ze keek me met een vernietigende blik aan. 'Nee, natuurlijk kan ik Zurings boot niet repareren. Voor dat soort magie heb je een eenhoorntoverstok nodig. Die van mij is gemaakt van door elkaar geprakte heksennagels en kabouterhaar.'

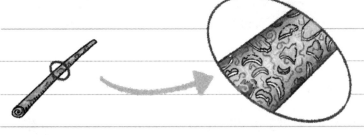

Zuring draaide zich met een ruk om en Stink verdween weer in mijn haar.

'Mijn tuin is nog steeds een zootje,' verklaarde Zuring. Ze stampte met grote passen terug naar het hek en verdween uit het zicht.

Toen pas herinnerde ik me dat we eigenlijk die trol moesten zoeken.

19. Blauwe-
neuzendag

Kabir was degene die ontdekte dat de trol uit de tuin was ontsnapt.

'Woeps, trollengat.' Hij wees naar het hek.

'Stink!' Ik schudde haar uit mijn krullen. 'De trol is uitgebroken, en zo te zien heeft hij weer zijn gewone formaat. Wat moeten we nu doen?'

Ze gaapte en fladderde een paar keer heen en weer door het trollengat.

'Kweenie,' zei ze. 'Gaan zoeken?'

Dus dat deden we. De trol was eerlijk gezegd niet zo heel moeilijk op te sporen.

'Dit is toch geen goede daad?' zei ik tegen Stink. 'Dit telt eerder als een sléchte daad. Waarschijnlijk pakken ze je hiervoor je vleugels af.'

Stink zat op mijn schouder. 'Dan zal ik moeten lopen,' zei ze. Ik voelde haar rillen. 'Ik ga liever dood dan dat ik moet lopen. Lopen is voor knettergekkies.'

De knettergekkies Kabir en ik liepen door Murmel aan Zee en volgden het spoor van verwoesting dat de trol had achtergelaten. In het park liep het spoor dood. Bijna dan...

'Wat zijn dat voor toefjes, daar op de glijbaan?' vroeg Kabir.

'Trollendrollen,' verklaarde Stink. 'Kunnen jullie ze voor me oprapen? Zo'n flats is in Elfenland een pingelduppie waard.'

Ik wilde net tegen Stink zeggen dat ik het vertikte om trollenpoep aan te raken toen Kabir zei: 'Bulk-alarm!'

Fleur en Fin stapten op ons af. Ze hadden ieder een gestreepte papieren zak bij zich. Stink schoot in mijn haar.

'Raad eens wat hierin zit,' zei Fleur.

'Dode zeemeerminnen?' gokte Stink.

Gelukkig hoorde de tweeling haar niet.

'SNOEP!' gilde Fleur. Ze glimlachte hebberig. 'Een hele berg SNOEP! Pap heeft ons een heleboel geld gegeven om allemaal verschillende snoepjes te kopen. Die gaan we in de chocoladefontein dopen op mijn verjaardagsfeest met chocoladethema. Willen jullie ze zien?'

Eerlijk antwoord? Ja, ik wilde ze zien. Wie wil er nou niet voor een fortuin aan snoep zien?

Voor het geval je nieuws-gierig bent, zo zag het eruit. Kabir en ik namen de tijd om de zakken uitgebreid te bestuderen. Zelfs Stink kwam even kijken. Al dat snoep rook fantastisch, en ik ging ervan uit dat we iets zouden mogen uitzoeken, zeker toen Kabir liet vallen: 'Ik ben gek op reuzenmusketflikken. Dat is mijn lievelingssnoep.'

'O ja? Het mijne ook,' zei Fin terwijl hij er een in zijn mond schoof.

Opeens klonk er een zacht, hoog stemmetje uit mijn haar.

> Je hebt er een laten vallen!

'Wat zei je?' vroeg Fin.

Er zat niks anders op, ik moest herhalen wat Stink had gezegd. En vraag me niet waarom, maar het leek me opeens een goed idee om haar stem na te doen.

'Je hebt er een laten vallen,' piepte ik.

Fin kneep zijn ogen wantrouwig samen voor hij naar de grond keek. Zijn blik bleef even rusten op een felblauwe trollendrol, en toen schoot zijn hand razendsnel uit.

'Vijfsecondenregel,' zei hij en hij stopte de drol in zijn mond.

Het drong langzaam tot me door dat het me was gelukt om Fin Bulk trollenpoep te laten eten. Mijn hoofd begon te trillen omdat Stink in stilte zat te schudden van het lachen.

Fin kauwde tevreden op zijn snoepje, sorry, poepje. En toen, van de ene op de andere seconde, was zijn neus blauw.

'Fin, je neus is blauw,' merkte Fleur op.

'Nee, niet waar,' zei hij onzeker.

Maar Fleur rende het park al uit. 'Wel waar! Je hebt een blauwe neus en ik ga het tegen mama zeggen!'

'STINK!' zei ik toen ze weg waren. 'We hebben hem trollenpoep laten eten en nu heeft hij een blauwe neus. Dat is GEEN goede daad!'

'Ik weet niet, hoor,' zei Kabir. 'Ergens ook weer wel.'

Stink zat er niet mee. Ze liet zich op mijn schouder vallen en sabbelde op een winegum die ze op een of andere manier uit de zakken van de tweeling had gepikt.

'Maak je niet druk,' zei ze. 'Er zijn zoveel kinderen die drollen eten.'

Toen pas zag ik dat de neuzen van de kinderen in de speeltuin alle kleuren van de regenboog hadden. Niemand kon de trollenpoep weerstaan!

Kabir en ik renden de daaropvolgende tien minuten rond om trollenpoep uit kinderhandjes te trekken. We propten de drollen in onze zak.

Stink was door het dolle heen. 'Jullie hebben bijna voor drie pingels aan poep,' zei ze.

'Luister, Stink,' zei ik. 'Hoelang blijven die neuzen zo? Zeg alsjeblieft dat die kleur weer weggaat.'

'Ja, waarschijnlijk wel... Misschien,' zei ze.

'Eh, Danny...' Kabir trok aan mijn T-shirt. 'Volgens mij moeten we hier weg. Het gaat zo knallen.'

Een meisje met een groene neus stond naar mij en mijn uitpuilende poepzakken te wijzen. Ze had twee vaders bij zich, die, zo viel me op, allebei gigantisch groot waren.

'Jij daar, snoepgozer! Jou wil ik even spreken!' riep de grootste vader. Hij kwam op een drafje naar me toe.

'Mijn pa zou hem met de grond gelijkmaken,' zei Kabir, en toen riep hij: 'Rennen!'

We trokken een sprint door het park.

'Waarom gebruik je je skateboard niet?' riep ik naar Kabir.

'Nah, man. Ik kan jou toch niet in je eentje achterlaten?'

Stink had haar hoofd uit mijn haar gestoken en probeerde te helpen door verslag te doen van wat de gigantische vader deed.

Hij kan echt ongelofelijk hard rennen.

Hij is zo gespierd als een zeemeermin, en die zijn sterk genoeg om een kokosnoot te kraken met hun handen.

Ik ga even toveren om hem af te remmen. ROZE!

Er hing direct zo'n dikke roze rook om me heen dat ik niks meer zag. 'Heeft het gewerkt?' riep ik terwijl ik over een vuilnisbak struikelde.

'Jazeker!' verklaarde Stink. 'Ik heb je vermomd met roze rook. Hij kan je nu toch niet meer zien?'

Op dat moment drong er een harige hand de rookwolk binnen. Hij probeerde me vast te grijpen.

'Deze kant op, man,' gilde Kabir. Hij trok me mee naar een gat in de heg dat zo klein was dat een reusachtige vader zich er met geen mogelijkheid doorheen zou kunnen wurmen. We doken erdoorheen en bleven rennen tot we weer in Zurings tuin waren.

Ik voelde me pas weer veilig toen we hoog in de boomhut zaten. Tenminste, soort van veilig, want de trol liep nog steeds vrij rond en liet overal neusverkleurende poepjes achter.

Stink viel uit mijn haar en fladderde door de boomhut. 'Ligt het aan mij,' zei ze, 'of was dat het leukste wat je in tijden hebt gedaan? Zag je dat Fin die trollendrol in zijn mond stopte? HAHA! Zo grappig! En die vader kon je wel vermoorden, Danny!'

'Het ligt echt aan jou,' zei ik. 'Dat was doodeng. Stink, we moeten die trol vangen. Hoe gaan we dat aanpakken?'

'Er is wel iets wat we kunnen proberen...'

'Wat dan?' zei ik wanhopig.

Maar ze schudde haar hoofd en zei: 'Nee, dat is te link.'

Alsjeblieft, Stink, ik wil alles proberen!

'We kunnen de trol laten opsporen door een gnoom,' zei ze. 'Gnomen hebben een waanzinnig goede neus.'

'Briljant,' zei ik. 'Hoe komen we aan een gnoom?'

Ze landde op de vloer en begon te ijsberen.

'Dat is een hele goede vraag. Gnomen zijn zéldzaam, Danny. Ze zeggen dat je ze kunt vinden in de Kristalmijnen, diep onder het giftige water van de rivier de Wap.*

Je bent honderd dagen met de boot onderweg voor je bij de ingang van de grotten bent, als het je tenminste lukt om de in je oor broedende palingen en de nimfen die je neus eraf bijten te overleven. Voor je bij de ingang bent moet je eerst nog door het lavalabyrint zien te komen. Dat ligt onder het Kasteel van Haar en Tanden, en het wordt bewaakt door de Draak-die-Kindjes-eet. Zij kan een mierenhartje op twintig kilometer afstand horen kloppen. Het is dus

*Stink stond erop om te helpen met deze tekeningen, zodat het verhaal zo realistisch mogelijk zou worden.

niet per se onmógelijk om aan een gnoom te komen,
maar je moet er wel een epische reis voor overhebben,
en als we met z'n allen gaan moet je er niet op rekenen
dat iedereen weer terugkomt.' Ze wees naar Kabir.
'Jij gaat er als eerste aan.'

'Wat? Hoezo?' Hij keek haar beledigd aan.

Omdat Danny mij heeft.
Zijn eigen elfje om hem
te beschermen.

'O ja? Nou, ik heb
anders twee elfjes,' zei
Kabir.

'Wat jij wil, joh,' zei Stink.
'Ik wil alleen maar zeggen dat
het hartstikke lastig gaat worden om een gnoom te
vinden.'

'Wacht even,' zei ik. 'Jouw broer had toch een
gnoom?'

'O ja!' zei ze. 'Jozias. Ik ga terug naar huis om hem
te stelen, ik bedoel, lenen.'

Dagboek, het is inmiddels bedtijd, en Stink is door de elfendeur naar Elfenland gegaan. Deze keer heeft ze Tonnie meegenomen, want dan kan ze 'sneller terug zijn met Jozias'.

Ik ga proberen te slapen, maar het is knap moeilijk om je te ontspannen als je weet dat het jouw schuld is dat er een snoeppoepende trol vrij rondloopt in je stad.

Maar ik geef het niet op. Stink en de trol zijn hier door mijn sarcastische rijmpje gekomen, dus nu moet ik het ook weer oplossen.

Ik hoop maar dat Jozias weet wat-ie doet.

20.
Jozias

Toen ik wakker werd zat er een kleine blote gnoom op mijn borst. Gelukkig voor mij had hij een HELE lange baard.

Ik was niet eens zo verrast. Sinds de komst van Stink is er weinig meer waar ik nog van opkijk, maar ik vond wel dat hij kleren moest aantrekken.

Jozias bleek ongeveer dezelfde maat te hebben als Sofies teddybeer, dus hij kon kiezen uit verschillende outfits.

'Wat is hij raar, hè.' Stink observeerde Jozias van een afstandje. 'Mijn broer voelt zichzelf helemaal het mannetje als hij rondwandelt met zijn tamme gnoom, maar ik vind hem gewoon stom.'

Stink stond te liegen. Je zag zo dat ze Jozias fantastisch vond. Ze kon haar ogen niet van hem afhouden. Op die baard na vond ik hem niet zo bijzonder... Tot ik hem een geroosterde boterham gaf. Dat kereltje is een en al tanden en baard! Het is alsof een haai en de Kerstman samen een baby hebben gekregen.

Sofie drentelde mijn kamer binnen met
een schaaltje cornflakes zonder melk
(melk ruikt naar moeder, zegt ze).
Ze begon de cornflakes een voor een
aan Jozias te voeren. Telkens als hij zijn
mond openklapte gierde ze het uit.

Zodra Kabir er was gingen we naar Zurings boomhuis,
want dat is nu ons hoofdkwartier.

'We zijn net de Justice League, of de Avengers
of zoiets,' zei Kabir.

Ik bekeek Kabir, Stink en de gnoom nog eens
goed. Natuurlijk heb ik altijd al bij een team van
misdaadbestrijders willen horen, maar ik had nooit
gedacht dat dat zou bestaan uit een jongen
die net doet of hij kan skaten, een elfje en
een als Disney-prinses verklede gnoom.

Maar toen bedacht ik dat dit míjn team van misdaad-bestrijders was. En het was tijd dat ik me als hun leider ging gedragen.

'Oké,' zei ik terwijl ik Jozias op de grond zette. 'Doe je ding! Ga de trol zoeken!'

Hij bleef zitten waar hij zat in zijn prinses Jasmine-kostuum en staarde omhoog naar mij.

'Waarom blijft hij gewoon zitten?' vroeg ik aan Stink.

'Omdat je hem nog niet hebt betaald natuurlijk,' zei ze. 'Gnomen doen nooit iets voor niks. Fandango moet hem een pingel per week betalen om zijn huisgnoom te zijn.'

'Waarmee kan ik hem betalen?' vroeg ik.

'Geen idee,' zei Stink. 'Ik zal het hem vragen.'

Ze haalde een piepklein boekje uit haar zak. Op de voorkant stond *Vloeiend Gnooms in 40 manen.* Na een heleboel heen en weer geblader zei ze...

Soety gnoe rippetie chubbit?

Jozias keek om zich heen en nam de boomhut rustig in zich op. Uiteindelijk wees hij met een knoestig vingertje naar Kabirs skateboard en hij zei: 'Hertie mutsj luf.'

'Wat betekent dat?' vroeg ik aan Stink.

Ze begon weer in het boekje te bladeren. 'Hij zei: "Ik wil die strijdwagen."'

'Vergeet het maar,' zei Kabir.

'Deal,' zei ik.

Jozias wrikte het skateboard uit Kabirs handen.

'Hoe gaat hij precies naar de trol speuren?' vroeg ik.

'Hij volgt zijn geur.' Stink hield een van de snoepdrollen van de trol omhoog. Jozias' neusvleugels begonnen direct te trillen.

'Mooi,' zei ik. Jozias ging blijkbaar net zo te werk als een speurhond. 'We volgen de gnoom, en op het moment dat hij de trol vindt laat Stink haar Geel-spreuk op ze los zodat ze allebei krimpen. Begrepen?'

Kabir en Stink knikten, en ik zag het opeens weer helemaal zitten. Ik voelde me op-en-top de leider van een team misdaadbestrijders, iemand die alles onder controle had.

We klommen naar beneden uit de boomhut, en ik merkte dat ik met verende passen op weg ging. Het beviel zo goed om de leider van een team misdaadbestrijders te zijn dat ik besloot om er nog een speech tegenaan te gooien.

'Dit is het grote moment.' Ik hield Jozias de trollendrol voor. 'Jongens, zet je schrap om achter hem aan te rennen. We gaan op trollenjacht!'

Jozias boog zich naar voren. Heel even sidderden zijn grote neusgaten boven de drol en toen ging hij er zo snel vandoor op het skateboard dat we alleen nog een vage veeg van baard, wieltjes en een turquoise harembroek zagen.

21. De chocolade-fontein

Stink was razend. 'Waar denk je dat je mee bezig bent, Danny? Je laat een gnoom NOOIT los als hij zijn volgsysteem niet om heeft.' Ze haalde een belletje uit haar zak en klingelde ermee in mijn gezicht. 'Dat weet toch IEDEREEN?'

Ja, Danny, waarom deed je dat nou?

Daar had Stink niks over gezegd.

Dat wou ik net doen, en toen liet je hem al los. Nou ja... Toedeloe, trol.

Wat bedoel je?

125

'Omdat gnomen dat nou eenmaal doen,' zei Stink. 'Hoe dacht je dan dat Jozias hem ging vangen?'

'Voorzichtig, met zijn handen of in een netje of zoiets,' zei ik.

'Nope,' zei Stink. 'Als we er niet bij zijn als Jozias die trol vindt, dan vangt hij hem tussen zijn grote scherpe tanden en slikt hij hem in één hap door.'

Ze zei het alsof dat mijn schuld was. Alsof ik had voorgesteld om een gnoom in te zetten bij de trollen-jacht, alsof ik hem helemaal uit Elfenland had gehaald en hem trollenpoep had gegeven om aan te ruiken.

Dat laatste had ik trouwens inderdaad gedaan, maar die andere dingen dus niet.

Ik begreep dat het geen enkele zin had om Stink
tegen te spreken. Als we die trol niet eerder te pakken
kregen dan Jozias, dan zou ik medeplichtig zijn aan
trollenmoord, en ik wilde liever niks te maken hebben
met welke moord dan ook.

Op school heeft mijn naam maar
één keer op de grijze strafwolk
gestaan, en dat was in groep vier toen
Kabir en ik snorren op elkaars gezicht
hadden getekend met de stiften van juf Herder.

'Stink!' Ik pakte haar op en hield haar voor mijn
gezicht. 'Waar kan die trol zijn? We moeten hem vinden
voordat Jozias hem te pakken krijgt.'

Op dat moment kwam professor Zuring de tuin in
met een emmer schillen voor haar wormenhotel.

'Wat is hier aan de hand?' vroeg ze argwanend.

'Niks.' Ik verborg Stink tussen mijn handen.

We trokken ons snel terug achter een grote struik.

'Stink!' Ik schudde haar door elkaar. 'Denk na! Waar zou een trol naartoe gaan? Waar houden trollen van?'

Er verschenen diepe denkrimpels in haar kleine gezichtje en na een hoop ge-uuuuuh en ge-eeeeeh zei ze: 'Chocolade. Trollen zijn gek op chocolade.'

Chocolade!

We herinnerden ons allemaal tegelijk Fleurs

VERJAARDAGSFEEST MET CHOCOLADE-THEMA!

22. Willy Wonka

We loerden de tuin van de tweeling in. Of tenminste, dat deden Kabir en ik. Stink vloog omhoog en ging gewoon op het hek zitten.

'Wat moet dat voorstellen?' vroeg Stink.

'Dat is een verjaardagsfeest met chocoladethema,' verklaarde ik.

De Stormjager lag niet meer op het terras – ik nam aan dat Fin en zijn moeder druk bezig waren met de Zotte Vlottenrace. De plek van het vaartuig was ingenomen door een heleboel meisjes, snoepjes en chocolade.

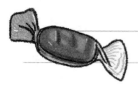

Het krioelde van de meisjes.
Ze maakten TikTok-filmpjes, deden
radslagen, versierden cupcakes, stapelden
chocoladekoekjes op, doken met hun gezicht in
de grote bergen slagroom (geen idee waarom),
probeerden aan touwtjes opgehangen donuts af
te happen en vielen geblinddoekt en met mes

en vork aan op een enorme

chocoladereep.

Ik moet eerlijk toegeven dat het er

zo fantastisch uitzag (op die TikTok-filmpjes na)

dat ik de trol heel even vergat.

Toen krijste Stink: 'TOVENAAR!' Ze schoot

weg van het hek en verstopte zich in mijn haar.

Het was geen tovenaar. Het was Jasper Bulk, de vader van de tweeling, en hij had zich verkleed als Willy Wonka.

'Ik hoop dat jullie het naar je zin hebben in mijn chocoladefabriek, meiden,' donderde hij. 'Het is bijna tijd voor de chocoladefontein!'

Opeens voelde ik een warme spetter op mijn wang. Mijn tong kwam automatisch naar buiten en ik proefde chocolade.

PLETS. Er landden nog meer chocoladedruppels op mijn neus en kin.

'O nee.' Kabir stootte me aan en wees naar de chocoladefontein die op een tafel in de tuin stond. Het was wel duidelijk dat de fontein het klapstuk van het feest was. Jasper Bulk had zelfs een touw gespannen om de meisjes erbij weg te houden. Misschien was dat

de reden dat niemand de trol nog had opgemerkt.

Ik denk dat het woord dartelen nog het best beschrijft

waar de trol mee bezig was.

De trol dartelde door de

gesmolten chocolade,

en was zo te zien

de gelukkigste

trol in het hele

universum.

'Ik ga hem wel

halen,' zei Stink.

Ze vloog uit mijn

haar en fladderde

als een dronken mus

door de tuin. Echt, ze had

keihard nieuwe vleugels nodig.

'Schiet op, Stink, schiet op,' fluisterde ik half

binnensmonds.

Voor in de tuin was Jasper Bulk (oftewel Willy Wonka) de meisjes jubelend aan het opjutten voor de chocoladefontein.

Ik heb een verrassing voor jullie, Oempa Loempa's van me! Mijn wonderbaarlijkste uitvinding tot nu toe! Het is een magische chocoladefontein, en jullie geloven nooit welk geheim ingrediënt ik heb toegevoegd.

'Een stinkende trol,' zei Kabir.

Ik greep de bovenkant van het hek stevig vast en moedigde Stink in stilte aan om nog wat harder te vliegen, maar haar vleugels waren zo krakkemikkig dat ze steeds uit de lucht viel.

Na een hele tijd had ze eindelijk de fontein bereikt, maar ze pakte niet haar toverstok en ze brulde ook niet GEEL om de trol te laten krimpen. In plaats daarvan gilde ze 'JIPPIEEEE' en ze dook voorover in de gesmolten chocolade. Ze begon net als de trol te dartelen en trok baantjes door de dikke bruine massa. Af en toe spoot er

een straaltje chocolade omhoog uit haar mond.

Nu lagen er dus een trol EN een elfje in Fleur Bulks

chocoladefontein.

Jasper Bulk vond het tijd om de meisjes los te laten.

Hij haalde het touw weg en riep: 'Wie heeft er zin om

magische snoepjes in dikke chocolade te dopen?'

'Ik! Ikke! Ik!' gilden de meisjes. Ze lieten de

chocoladekoekjes, borden met slagroom, aardbeien-

dropveters en spuitzakken met glazuur uit hun handen

vallen en stormden naar de andere kant van de tuin.

'Wat moeten we doen?' siste Kabir.

'Geel!' brulde ik over het hek. Ik hoopte vurig dat Stink zich zou herinneren wat ze moest doen als ze me zou horen roepen.

'Wat is hier aan de hand?'

Ik draaide me om. Professor Zuring stond vlak achter me.

'Eh... Ik schreeuw "geel" in de tuin van de buren,' zei ik.

'Goed zo, dat vinden ze vast irritant,' zei ze. Ze gooide haar hoofd in haar nek en bulderde...

GEEL!

Zuring brulde zo hard dat Stink overeind schoot in de kleverige chocolade. Ze wierp één blik op de meisjes die op haar af kwamen denderen, trok haar toverstok en gilde: 'GEEL!'

Er ontplofte een groene rookwolk boven de fontein. Toen die weer optrok was de trol verdwenen.

Waarschijnlijk was hij nu piepklein en zwom hij ergens in de gesmolten chocolade.

Dat was maar goed ook, want de meisjes dromden nu om de fontein en graaiden handen vol snoep bij elkaar. Ze konden de snoepjes ieder moment door de chocolade gaan halen.

Iemand moest ernaartoe om de trol uit de chocoladefontein te vissen, want Stink kon dat niet doen. Niet alleen omdat ze ongeveer even groot was als de trol, maar er zat ook zo'n dikke laag chocolade op haar vleugels dat ze nauwelijks nog kon vliegen. Als een haperende chocolade-hommel zweefde ze op ons af.

'Willy Wonka, ik heb mijn gezicht in de chocolade gestoken!' gilde Fleur. Dat was inderdaad zo, en al haar vriendinnen deden haar na.

Als ik die trol niet snel uit
die fontein kreeg, dan slikte
een van de meisjes hem
misschien wel in. En wat zou
er dan gebeuren als Stinks
Geel-spreuk uitgewerkt raakte?

Groeiende trol

Stink had ons eindelijk bereikt
en zakte in elkaar in mijn handen.
'Te veel chocolade,' zei ze hijgend.

'Kun je nog een spreuk doen?' vroeg ik, maar ze greep
kreunend naar haar buik en schudde haar hoofd.

'Kijk, nou drínk ik chocolade,' gilde Fleur.

Hoog tijd om in actie te komen, Danny Rekels.

Ik schudde de plakkerige Stink in Kabirs handen en
zei: 'Zorg voor mijn elf.'

Ik wierp een snelle blik over mijn schouder om te
checken wat professor Zuring op dit moment uitvoerde.
Ze was op haar wormenhotel geklommen en had haar
hoofd in een van de regentonnen gestoken. Perfect. Zo
kon ze niet zien wat ik ging doen.

En dat was dit:

Zonder plan over het tuinhek van de tweeling klimmen.

Plof. Ik kwam zacht neer op het gras en dook als een tijger in elkaar. Angstaanjagend, heimelijk, stil. Als een panter sloop ik naar de chocoladeslurpende meisjes. Volkomen beheerst (als een jaguar) zette ik me schrap voor de aanval.

Toen gilde Fleur: 'PAP! Danny Rekels zit in onze tuin!'

Het zou kunnen dat ik meer weg had van een mafkees dan van een jaguar.

'Wat ben jij van plan?' Jasper staarde me
verontwaardigd aan vanonder zijn hoge hoed.

Ik moest razendsnel nadenken en met een
aannemelijke reden komen waarom a) ik in zijn tuin was,
en b) hij het goed moest vinden dat ik mijn handen in
zijn dochters chocoladefontein stak.

Dit was wat ik zei:

Kabir heeft een LEGO-mannetje in jullie
chocoladefontein gegooid. (Ongeloofwaardig:
Kabir kan net als ik voor geen meter gooien.)

Ik wil niet dat Fleurs feestje daardoor verpest wordt.
(Ongeloofwaardig: Fleur is een verschrikking en het zal
me een zorg zijn wat er met haar feest gebeurt.)

Ik wil het gewoon even pakken. (Geloofwaardig)

Ik stak mijn hand uit naar de chocoladefontein en
probeerde langs Jasper Bulk te komen.

'Zet dat maar uit je hoofd, jongeman,' zei hij terwijl hij
me de weg versperde. 'Wie weet waar die handen van jou

allemaal zijn geweest. Als het waar is wat je
zegt, dan zoek ik dat LEGO-mannetje zelf
wel.'

'NEE!' brulde Kabir vanachter het hek.

Het is gemaakt van plutonium en diamanten.
Heel zeldzaam. Mijn vader heeft het voor mijn
moeder gekocht toen hij op weg naar huis was na
een missie in Dubai. Alleen Danny Rekels heeft
mijn toestemming om het aan te raken!

Het was een klassieke Kabir-leugen: lang en met veel
details, zodat ik precies genoeg tijd had om langs Jasper
te glippen, mijn handen in de fontein te steken en naar
de trol te graaien. Het was een eitje, want hij begon
alweer te groeien.

Ik stopte hem snel onder mijn T-shirt.

Toen brak de pleuris uit.

De meisjes en Willy Wonka probeerden me te vangen.
De trol kronkelde en krabde. Stink (die weer de tuin in
was gevlogen en nu in mijn haar zat) krijste:

'Bijt ze en rennen, Danny! BIJT ZE EN RENNEN!'

Ik was niet van plan om iemand te bijten, maar ik rende wel zo hard ik kon. En omdat ik onder de gesmolten chocolade zat, lukte het om weg te glibberen onder alle handen die me vast wilden grijpen.

Groeiende
trol

Kabir hielp me over het hek en ik viel hijgend op Zurings grasveld. Ik deed wat ik kon om de harige trol onder mijn T-shirt te houden.

Plotseling dook er een hoge hoed op achter het hek, gevolgd door Jasper Bulks boze hoofd. 'Dit krijgen je ouders te horen, Danny Rekels!' snauwde hij. Hij tikte tegen zijn hoed en verdween uit het zicht.

23. Het wormen- hotel

'Laat hem weer krimpen! Laat hem weer krimpen!' gilde ik tegen Stink. De trol had zijn lippen tegen mijn navel gedrukt en zoog zo hard hij kon.

'Kan ik niet.' Ze bungelde voor mijn voorhoofd om het beter te kunnen zien. 'Mijn toverstok heeft tijd nodig om weer op te laden.'

'Man, ik geloof dat hij je darmen naar buiten gaat zuigen,' zei Kabir.

'Help!' jammerde ik, en daarna probeerden Kabir en zelfs Stink de trol van mijn buik te trekken.

Hij kwam met een harde 'SLURP!' los, schoot uit hun handen en kwam boven op het wormenhotel terecht. Gelukkig zat Zuring nog steeds met haar hoofd in een van de regentonnen. Ze had geen idee dat er een harig chocolademonster naast haar was geland.

'Pak die trol,' brulde Stink, maar voor we in beweging konden komen raasde er een bal van baardhaar en lovertjes op een skateboard door de tuin.

Jozias was terug. Hij was het spoor van de trol door de hele stad gevolgd en was hier weer uitgekomen. Al die lichaamsbeweging had hem hongerig gemaakt.

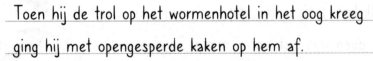

Hij sprong van het skateboard, dat met een noodgang verder door de tuin schoot.

Toen hij de trol op het wormenhotel in het oog kreeg ging hij met opengesperde kaken op hem af.

Hij ging de trol opeten! En zelfs als hij naast de trol

hapte, zou hij bijna zeker zijn tanden zetten in Zurings met een comfortabele wielrenbroek bedekte achterwerk.

'Rennen, rennen, rennen!' riep Stink vanaf mijn hoofd.

Kabir en ik stoven weg. Kabir was iets sneller bij het wormenhotel dan ik. Hij stortte zich boven op de trol en propte hem in een van de tonnen.

Maar Jozias had het nog niet opgegeven. Zijn tanden glinsterden in de zon en hij kwijlde van de honger.

'Doe iets, Danny!' gilde Stink.

Ik kon Jozias niet stoppen, maar wat ik wél kon doen was het wormenhotel verplaatsen. Ik gaf het een harde zet en schoof het op het vergeten skateboard. Het rolde weg door de tuin.

'Waarom doe je dat nou?' gilde Stink.

'Weet ik veel. Het leek me een goed idee. Kun je de Geel-spreuk nog steeds niet op Jozias afsturen?'

Een klein pufje rook ontplofte boven mijn hoofd. 'Sorry, mijn toverstok is nog steeds leeg. Ga nou achter ze aan. Jozias is klaar om toe te happen!'

Ik rende door de tuin, en het duurde niet lang voor Jozias en ik zij aan zij raceten om als eerste bij het wormenhotel te zijn.

Jozias hunkerde naar de trol.

Maar ik wist dat het mijn plicht was om de trol te beschermen (en Kabir en Zuring), dus ik rende harder dan ik ooit had gerend. Ik rende zo hard dat ik niet meer wist wat mijn benen aan het doen waren. Ik rende zo hard dat mijn tanden ervan klapperden.

Ik versloeg Jozias en was als eerste bij het wormen-hotel.

Met een reuzensprong landde ik naast Kabir. Het wormenhotel maakte nog meer vaart. Jozias gromde, knarste met zijn tanden en sprong ook naar de tonnen.

Precies op het moment dat het wormenhotel door het hek aan het eind van de tuin brak, zette Jozias zijn tanden in een van de regentonnen.

En zo plonsden we met z'n allen in de rivier.

24. DE STORMJAGER

Toen Zuring haar hoofd uit de waterton haalde kon ze haar ogen niet geloven.

Wat doen jullie op mijn wormenhotel?

Waarom liggen we in de rivier?

Waarom dreven er net een auto en een reuzenbanaan en een eenhoorn voorbij?

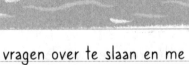

Ik besloot de eerste twee vragen over te slaan en me alleen op nummer drie te concentreren.

'Dat zijn allemaal zotte vlotten,' zei ik. 'Kijk, ze varen in de richting van de visclub. Daar begint de Zotte Vlottenrace.'

Zuring kreeg een afwezige blik in haar
ogen. Ze staarde naar alle zotte vlotten die
langzaam verder dobberden, en daarna naar
Kabir en mij. Stink schoot net op tijd mijn haar in en de
trol zat nog steeds vast in een van de regentonnen. Je
kon Jozias net niet zien onder water, maar hij zorgde
er wel voor dat we voelden dat hij er was. Hij probeerde
nog steeds uit alle macht bij de trol te komen en trapte
zo hard hij kon met zijn harige voeten.

Hij maakte een soort
speedboot van het wormen-
hotel, en terwijl we door
het water vlogen botsten
we tegen de andere
vlotten op. Het water
sproeide naar alle kanten.

'Hé,' riep een woedende stem.
'Doe eens rustig met dat vlot.'

Opeens vond Jozias het tijd voor een pauze en we
minderden vaart. Even later dobberden we kalmpjes naast
de Stormjager.

'Ik zei dus...' schreeuwde de boze stem weer.

DOE EENS RUSTIG MET DAT VLOT!

De stem was van Esther Bulk. Ze stond wijdbeens op de Stormjager, en droeg bootschoenen, een witte broek en een wit met blauw gestreepte trui.

'Jullie hebben een kras in onze lak gemaakt!' jammerde Fin (die ook bootschoenen, een witte broek en een wit met blauw gestreepte trui droeg).

Zuring begon weer te staren. Haar blik gleed over de ranke Stormjager en de op elkaar afgestemde petten van de Bulkjes.

Staar.

Staar.

STAAR.

Misschien werd Esther daar zenuwachtig

van, want ze trok opeens een stuk papier uit

haar zak en zei: 'Jullie mogen trouwens toch niet

meedoen aan de race. Regel nummer vier: de kapitein

van het vaartuig moet een verantwoordelijke volwassene

en een ervaren zeiler zijn. Ik bedoel dit niet rot,

professor, maar dat bent u toch niet? Uw boot is

gezonken!'

Zuring kneep haar ogen dreigend

samen. 'Jij weet heel goed dat jouw

man mijn boot heeft laten zinken!'

Esther hapte geschokt naar

adem. 'Dat kunt u niet bewijzen!'

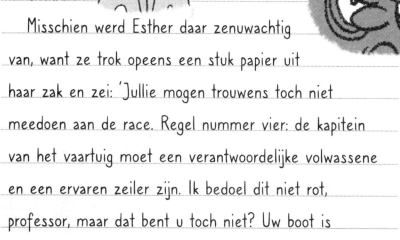

'Nee,' zei Fin. 'U kunt niet bewijzen
dat pap er gaten in heeft geboord met
zijn draadloze turboklopboor!'

'HOU JE KOP, Fin,' snauwde Esther Bulk.

We hadden de groep zotte vlotten die rondom de visclub dreven bereikt. Er was een touw gespannen tussen twee boeien om aan te geven waar de race van start zou gaan. De oevers van de rivier stonden vol juichende toeschouwers.

Het was spannend om mee te doen aan de race, al hoorden we hier eigenlijk helemaal niet te zijn.

'Jullie mogen trouwens toch niet meedoen,' zei Esther. 'Want jullie vlot heeft geen zeil en geen roeispanen. Ik heb dat van ons gemaakt van een antieke kledingkast, maar jullie hebben niet eens iets om mee te roeien. Ik zou me kapotschamen met zo'n vlot!'

'O!' fluisterde Stink in mijn oor. 'Ik HAAT haar!'

Ik denk dat we Esther Bulk allemaal haatten, maar we konden weinig tegen haar beginnen want op dat moment werd er getoeterd. Het touw viel en alle vlotten schoten vooruit. Behalve dat van ons.

Binnen een paar seconden lag het wormenhotel ver achter.

Zuring keek de vlotten met een wanhopige, smachtende blik na.

Ik draaide me om en schudde Stink in mijn handen. 'Stink,' fluisterde ik. 'Kun je dit vlot niet magisch in beweging krijgen? Kun je een zeil of roeispanen toveren?'

Ze trok haar toverstok, maar liet toen treurig haar schouders hangen. 'Danny, ik ben superslecht in toveren.'

Ze zat er net zo verslagen bij als Zuring. 'Fandango zegt dat al jaren tegen me, en hij heeft gelijk. Ik kan vossen van kleur laten verschieten en één grassprietje tegelijk omhakken, en dat was het wel. Als Fandango hier was zou hij Jozias omtoveren tot een raket, maar ik kan hem niet eens veranderen in een plankje dat we als peddel zouden kunnen gebruiken.'

Ik schudde haar zachtjes door elkaar. 'Jij kunt in ieder geval nog een beetje toveren,' zei ik. 'Ik kan het helemaal niet. En trouwens, ik heb maar een paar van je spreuken gezien. Groen Zeventien hakt het gras doormidden. Dat is een hele goeie spreuk, maar wat gebeurt er als je Groen Eén of Twee of Drie doet?'

Haar ogen werden heel groot.

Dan gebeuren er erge dingen, Danny. Hele erge dingen...

25. De erge dingen

Kabir en Zuring waren op hun knieën gaan zitten en probeerden met hun handen terug te peddelen naar de kust.

Maar ik had het nog niet opgegeven. Toen ik Fins verwaande kop voorbij zag varen was er een opstandig vuurtje opgelaaid in mijn buik.

Ik wilde de Zotte Vlottenrace winnen. En als dat er niet in zat, dan wilde ik in ieder geval de Stormjager verslaan. En als dat ook niet zou lukken, dan wilde ik Fin en zijn moeder in het water duwen zodat die stomme petten de vuilnisbak in konden.

Misschien waren erge dingen wel precies wat we nodig hadden...

'Wat voor erge dingen?' vroeg ik.

'Explosies,' zei Stink. 'Groen is een explosiespreuk, en explosiespreuken zijn heel moeilijk. Groen Eén, Twee,

Drie, Vier, Vijf, Zes, Zeven, Acht, Negen, Tien, Elf, Twaalf, Dertien, Veertien, Vijftien en Zestien waren allemaal versies die niet werkten. Ik haalde de mengsels en de atomen door elkaar, en de dingesen en de huppeldepuppen. Geen idee. Ik luisterde niet echt toen ik op mijn donder kreeg van de meester. Eigenlijk heb ik alleen maar gas gemaakt, het was helemaal niet de bedoeling om iets te vernielen. Daarom ben ik van school getrapt en mocht ik niet naar de universiteit.' Ze keek me even schichtig aan. 'Ik heb mijn school opgeblazen, Danny. Ik heb hem gevuld

met gas, en toen, BOEM! Fandango heeft het opgelost met een omkeerspreuk, maar iedereen was ontzettend boos.'

Ik keek naar de achterkant van het vlot, waar Jozias nog steeds met zijn tanden vastzat in het wormenhotel. Zijn baard waaierde om hem heen uit in het water en zijn grote voeten bewogen heen en weer. Als dit vlot een boot zou zijn, dan hing Jozias precies op de plek waar de motor moest zitten. En een motor had brandstof nodig. Benzine of... GAS!

'Wat is je gassigste spreuk, Stink?' vroeg ik.

'Groen Zestien,' zei ze zonder aarzelen. 'Je kon hem nog dagen ruiken. S punt Tinks Stinkende Stank, noemden ze hem... Best onbeschoft.'

Ik keek opzij naar professor Zuring. Ze hing nog steeds over de rand van het vlot en peddelde erop los.

Ik hield Stink voor mijn gezicht.

Doe het nog een keer, Stink. Sla Jozias met Groen Zestien om zijn oren, en gas op die lolly!

Dat hoefde ik geen twee keer te zeggen.

SWOESJ!

Ze trok haar toverstok en nam de spreukhouding aan. Voordat ik tijd had om Zuring of Kabir te waarschuwen, brulde ze...

Jozias ontplofte.

26. De Zotte Vlottenrace

Ik weet nog steeds niet precies waar al dat gas vandaan kwam. Het enige wat ik weet is dat Jozias opeens in een turboraket veranderde, en dat ons vlot zo hard door het water spoot dat mijn gezicht er zo uitzag:

Zuring, Kabir en ik klampten ons vast alsof ons leven ervan afhing. Ondertussen raasde het wormenhotel de concurrentie links en rechts voorbij, als een kat die op duizend bijen was gaan zitten. Ons vlot vloog. Het zoefde. Het maakte nauwelijks nog contact met het water terwijl het verder stuiterde.

'Het lijkt erop dat we een vloedgolf hebben getroffen,' riep professor Zuring. 'Goed vasthouden, jongens!'

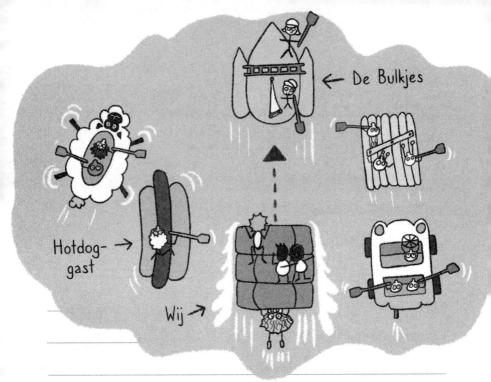

Toen pas zag ik dat we recht op de Stormjager afgingen.

Ik geef toe dat ik niet echt dol ben op Esther en Fin Bulk, maar ik wilde nou ook weer niet over ze heen varen.

Gelukkig kwam Zuring in actie. Ze sprong overeind en nam als een echte kapitein de leiding over ons vaartuig.

'Jij daar, jongen!' Ze wees naar Kabir. 'Pak die schoothoek daar en reef de leuvers.'

'Jij, andere jongen!' Ze wees naar mij. 'Loef de neerhouder windwaarts!'*

Ik geloof dat ze wilde dat ik een flapperend touw strak zou trekken, dus dat deed ik maar.

*Dit is misschien niet precies wat ze zei, maar je snapt het idee.

Zuring trok haar anorak uit en
bond hem aan het wormenhotel.
Nu hadden we een zeil.

Maar we gingen nog steeds in
volle vaart op de Stormjager af.

'HARD BAKBOORD!' brulde
Zuring terwijl ze naar links
ging hangen.

We waren nog een paar secon-
den verwijderd van een botsing met de Stormjager.

'Ze bedoelt LINKS!' piepte Stink.

Ik greep Kabir vast en we doken naar de linkerkant van
het wormenhotel. Ons zotte vlot kantelde, kwam half uit
het water en we scheerden rakelings langs de Stormjager.
Het scheelde een trollensnorhaar.

'HEB HET LEF NIET OM
ONS IN TE HA-' De rest
van Esther Bulks woorden
ging verloren in de golf
die over haar heen sloeg.

We waren niet te stoppen. Met kapitein Zuring aan
het roer zwenkten we om de opblaashotdog heen. We
stormden langs de banaan en ontweken de reuzenbaby.
Al snel voerden we de meute aan en raceten we op de
finish af.

Toen we door het lint braken klonk er weer een
toeter, en Zuring, die nog steeds aan het roer van onze
trouwe schuit het Wormenhotel stond, gooide haar hoofd
achterover en lachte.

Ze lachte...

En lachte...

Het was een verrassend
geluid. Dit was de eerste
keer dat ik iets van een
lachje uit haar hoorde
komen. Het was rauw en
kakelig, als de lach van een

heks die in haar vrije tijd bijklust als piraat.

Terwijl het geluid over de zee galmde ontplofte er opeens een lichtflits op mijn schouder.

En daarna vloog dit voor mijn gezicht:

Stink had haar goede daad gedaan.

Ze had honderd pingels verdiend en haar Zilverschichten gekregen. Ze hoefde geen vossen te redden of hele tuinen op te ruimen. Het was genoeg om een knorrige oude mevrouw zo blij te maken dat ze moest lachen.

'JIPPIEEEEEEEEE!!!' gilde Stink. Op de maat van Zurings gekakel vloog ze in grote cirkels steeds hoger de lucht in.

27. VICTORIE

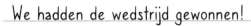

We hadden de wedstrijd gewonnen!

Zuring staarde met een grote grijns naar de horizon terwijl achter haar rug puin werd geruimd.

Stink flitste met haar nieuwe vleugels om het wormenhotel heen en liet de trol en Jozias met één machtige inslag van de spreuk Geel krimpen. Net voor Zuring zich omdraaide stopte ik de spartelende wezentjes in mijn zakken (ik hield ze apart zodat Jozias de trol niet kon opeten).

Misschien kwam het door alle opwinding en lichaams- beweging, of misschien pakte Stinks spreuk extra sterk uit, maar de trol en Jozias bleven tijdens de hele prijsuitreiking klein, en hielden min of meer hun gemak.

Helaas waren Esther en Fin Bulk minder goedgemanierd.

De burgemeester wilde net een glimmende medaille om Zurings nek hangen toen ze het podium op stormden.

'Ze hebben een motor gebruikt!' Esther Bulk stak verontwaardigd haar vinger naar ons uit. 'En daarmee hebben ze regel nummer acht overtreden, want die stelt duidelijk dat zotte vlotten uitsluitend mogen worden aangedreven door zotheid, roeispanen en de wind. Gemotoriseerde vaartuigen zijn niet toegestaan.'

'Ja,' voegde Fin eraan toe. 'Ze hebben valsgespeeld!'

De burgemeester aarzelde. De medaille bungelde boven Zurings nagelknipperkapsel.

'Mijn wormenhotel heeft geen motor,' protesteerde

Zuring. 'Het zijn gewoon drie regentonnen die aan elkaar zijn gemaakt met snelbinders.'

Kabir nam het voor haar op.

Ja! Het kwam niet door een motor. We gingen zo hard door een gnomenscheet. Het elfje dat in Danny's haar woont heeft een explosiespreuk losgelaten op de gnoom, en BOEM, we vlogen door het water!

Voor één keer vertelde Kabir de waarheid, maar gelukkig voor mij (en voor Stink, die bibberend van angst in mijn haar zat en siste: 'Als die vrouw me ziet, dan verander ik in elfensmurrie op jouw hoofd, Danny!') geloofde niemand hem.

De burgemeester gaf Kabir zelfs een vette knipoog en zei: 'Ik weet zeker dat het zo gegaan is.' Ze ging verder: 'We kunnen trouwens allemaal met onze eigen ogen zien dat professor Zurings zotte vlot geen motor heeft.'

Het wormenhotel werd meteen naast het podium gelegd zodat iedereen de eenvoudige maar effectieve constructie kon bewonderen.

De burgemeester keek de Bulkjes met een felle blik aan.

Volgens regel dertien mogen slechte verliezers zich niet op het podium begeven, dus wegwezen alsjeblieft.

'Maar... Er is helemaal geen regel dertien!' sputterde Fin terwijl zijn moeder hem van het podium trok.

'Goeie leugen,' zei Kabir terwijl hij zonder succes een high five probeerde te krijgen van de burgemeester.

28. Shoarma en vliegende schotels

Later die middag gingen Kabir en Zuring shoarma halen om het te vieren. Ondertussen ging ik met Stink naar huis om Jozias en de trol kwijt te raken. We rolden ze als twee harige knikkers door de elfendeur.

Stink keek omhoog naar mij. 'En nu ben ik aan de beurt,' zei ze. Ze liet haar Zilverschichten treurig hangen.

Ze zag er zo zielig uit dat ik voor ik het wist had gezegd: 'Je mag mee naar professor Zuring als je wilt, maar je moet beloven dat je vanavond teruggaat naar Elfenland.'

'YES!' Stink zoefde een paar keer de kamer rond en bleef toen stilhangen voor mijn gezicht.

'DAT BELOOF IK, Danny.' Ze pakte de zijkanten van mijn neus vast, keek me diep in mijn ogen en zei...

En je kunt me vertrouwen, want elfjes liegen NOOIT.

En daarom zit ik nu in Zurings tuin shoarma te eten en stiekem frietjes te voeren aan Stink, die weer in mijn haar is gekropen.

Toen Zuring me betrapte terwijl ik een frietje in mijn haar schoof, schudde ze alleen maar haar hoofd en ze mompelde: 'Wat ben je toch een rare jongen, Danny Rekels.'

Zuring was dolgelukkig en een beetje verbijsterd omdat we de race hadden gewonnen. 'Ik ben in mijn leven al heel wat vloedgolven tegengekomen, maar nog nooit zo'n reus als die van

vanmiddag.'

Ze was zo blij dat ze maar bleef kletsen. Eerst

vertelde ze dat ze professor is in de mariene biologie,

hoe cool is dat, en daarna liet ze ons alle bekers zien

die ze had gewonnen met zeilen. Vroeger was ze zo

goed dat ze bijna mocht uitkomen bij de Olympische

Spelen. Ze had zelfs zo'n goede bui dat we cola mochten

drinken uit haar trofeeën, en toen Fin en Fleur over het

hek gluurden zagen ze dit:

Hun blikken schoten door de tuin en bleven rusten op de vossen die lagen te zonnen in het gras. Gelukkig waren ze allemaal weer gewoon oranje.

'Pap heeft de gemeenteraad weer gebeld,' zei Fleur.

'De ongediertebestrijding is onderweg,' zei Fin.

'OM JULLIE VOSSEN TE VERGIFTIGEN!' riepen ze in koor voor ze weer achter het hek verdwenen.

Het was maar goed dat ze zo snel waren, want Stinks hoofd stak al uit mijn haar en ze had haar toverstok paraat. Ik had zo'n idee dat ze de tweeling wilde Groen Zestienen.

De deurbel ging.

'Zijn ze er nou al?' zei ik verschrikt. 'De ongediertebestrijding?'

'Ik denk het,' snauwde Zuring. 'Hou je heel stil, dan gaan ze misschien wel weg.'

Maar toen hoorden we Jasper Bulk uit zijn huis roepen:
'Die oude vrouw en haar vossen zijn in de achtertuin.
Jullie kunnen aan de zijkant naar binnen.'

Even later stonden ze aan de poort te rammelen.

Zuring kwam overeind. 'Ik probeer tijd te rekken,'
zei ze. 'Jongens, jullie moeten zorgen dat die vossen
verdwijnen!'

Kabir en ik renden door de tuin. We klapten in onze
handen en probeerden de vossen door de achterste
poort de tuin uit te jagen, maar ze verzetten geen poot.
Ze keken ons met slaperige oogjes aan en kwispelden
met hun staart alsof we een grappig spelletje deden.

'Stink.' Ik haalde haar uit mijn haar. 'Je moet ons helpen!'

Vanaf de andere kant van het huis kwamen stemmen dichterbij. Zuring maakte ruzie met iemand. 'Ik zeg toch dat er geen vossen in mijn tuin zitten!' snauwde ze.

Maar er waren wél vossen. Massa's.

'Laat dit maar aan mij over, Danny!' gilde Stink. Ze vloog uit mijn haar, maakte een zwierige boog met haar toverstok en riep:

'GEEEEEEEEEEEEEEEEEEEEEEL!!!'

Een voor een krompen de vossen tot het formaat van een kikker. Kabir en ik vielen op onze knieën en stopten ze in onze zakken.

De groene rook was net opgetrokken toen Zuring met een vrouw in een overall de tuin in kwam. Ze had een grote tas bij zich waarop MUISARREST ONGEDIERTEBESTRIJDING stond.

'ZIE JE NOU WEL!' zei Zuring. 'Er zijn geen vossen. Ik ben bang dat Jasper Bulk in zijn eigen fantasiewereldje leeft. Je kunt hem niet geloven.'

'Het is echt waar,' zei ik, met mijn hand stevig op de wriemelende vossen in mijn broekzak. 'Nu heeft hij zich weer verkleed als Willy Wonka. Hij denkt dat hij de directeur is van een chocoladefabriek.'

De vrouw van Muisarrest keek over het hek naar de tuin van de Bulkjes. Overal was chocolade. De fontein klaterde er nog lustig op los en het anders zo perfecte gazon lag vol snoepjes en chocoladekoeken.

Plotseling verscheen Jasper Bulk op het terras. Zijn paarse fluwelen pak zat onder de chocoladevlekken.

'Hebt u ze gevonden?' Hij keek panisch om zich heen. 'Het krioelt van de vossen in haar tuin. Gisteren lag er een roze vos te slapen op het dak van haar schuurtje, en daarnaast zat er eentje die alle kleuren van de regenboog had.'

'Zie je wel,' fluisterde ik tegen de vrouw van Muisarrest. 'Hij verzint de hele tijd van alles. U kunt hem het beste maar gewoon gelijk geven.'

Jasper raapte een half opgegeten reep melkchocolade van de grond en begon erop te kauwen. 'Sorry, het is nogal een rommeltje hier.' Hij zwaaide met zijn hand in het rond.

Er was een LEGO-mannetje van platina en diamanten in mijn chocoladefontein gevallen, en de Oempa Loempa's en ik raakten in gevecht met een glibberig jongetje.

'Dat dus,' zei ik zacht.

De vrouw knikte. 'Maakt u zich maar geen zorgen, meneer Bulk,' riep ze over het hek. 'Ik heb alle vossen bij elkaar gedreven en vergif neergelegd.' Ze knipoogde naar ons. 'Ze zullen u niet meer lastigvallen.'

'Hebt u die roze nog te pakken gekregen?' vroeg hij.

Jep. Die zit er ook bij.

'En de gevlekte? Vanochtend liep er een met vlekken over mijn gazon. Hondsbrutaal.'

'Die gevlekte heb ik keihard aangepakt.'

'Nou, dat werd tijd!' zei Jasper. Hij liep met grote

176

passen terug het huis in en griste in het voorbijgaan een zak chocoladeflikken mee.

De vrouw van Muisarrest bleef nog even een trofee met cola drinken en ging toen ergens anders met een nest muizen afrekenen.

'Waar zijn de vossen?' vroeg Zuring. 'Wat hebben jullie met ze gedaan? Zijn ze in het schuurtje?'

'Nah,' verklaarde Kabir. 'Het elfje in Danny's haar heeft ze laten krimpen en nu zitten ze in onze broekzakken.'

'Een elfje heeft ze laten krimpen?' Zuring snoof en rolde met haar ogen. 'Zolang ze maar veilig zijn. Dat is het enige wat telt.'

'Het gaat prima met ze,' zei ik. 'Maar we kunnen beter gaan voor ze weer teruggroeien naar hun normale formaat.'

Zuring lachte kakelend. 'Stelletje kwajongens,' zei ze terwijl ze ons een harde klap op onze rug gaf. 'Neem morgen een reddingsvest mee, dan leer ik jullie suppen.

En misschien kunnen we bedenken hoe we de Barracuda uit de rivier kunnen krijgen om haar op te knappen. Als jullie me helpen, dan lukt het misschien wel.'

Daarna ging ze naar binnen om *Pirates of the Caribbean: Dead Man's Chest* te kijken.

Zodra ze weg was vloog Stink voor mijn gezicht. 'Ik wil heel graag helpen om de Barracuda op te knappen, Danny.'

'Dat kan niet. Jij gaat terug naar Elfenland.'

'O,' zei ze droevig. 'Moet dat echt?'

'Ja,' zei ik. 'Je mocht toch ook al mee naar het feestje?'

Stink besefte dat ze nog maar een paar minuten had om van haar vrijheid in de Mensjeswereld te genieten, dus ze besloot eruit te halen wat erin zat. Eerst dronk ze alle bodempjes cola uit de trofeeën. Daarna vloog ze naar de tuin van de Bulkjes, en ze kwam een paar minuten later terug met een volle snoepzak.

Tot slot
maakte ze een
zeemeeuw blauw.

  'Oké,' zei ze met
een hele musketflik in
haar mond. 'Ik ben er
klaar voor. We gaan.'

  Voor ons huis nam
ik afscheid van Kabir,
maar pas nadat ik hem had
gedwongen om al zijn minivosjes aan mij te geven.

  'Ik zie je morgen weer als we gaan suppen,' zei hij.
'Nu ik mijn skateboard kwijt ben, ga ik me daar maar
op storten. Ik ben er vast waanzinnig goed in. Ik sup
misschien wel helemaal naar Frankrijk... Of naar Spanje...
Of naar Hawaï.'

  'Goed idee,' zei ik. Het had totaal geen zin om met
Ya-Mam in discussie te gaan als hij zo bezig was.

  Ik racete naar mijn slaapkamer, want ik had een plan.
En om het te laten slagen moest ik snel zijn.

29. Een heleboel paarden

'Dan moest ik maar eens gaan,' zei Stink met een blik op de elfendeur. Ze zat op mijn bed en deelde haar laatste snoepjes met Sofie.

'NEEEEE!' jammerde Sofie.

'Ik moet van Danny.' Stink zette haar grootste, zieligste ogen op.

'Danny is een misselijke poepkop!' verklaarde Sofie.

Daar dacht Stink even over na. 'Nee, niet echt. Je hebt mazzel met zo'n broer, Soof. Fandango is pas een misselijke poepkop.'

Stink goot al het poeder uit een vliegende schotel in haar mond en vloog naar mijn gezicht. 'Bedankt, Danny,' zei ze. 'Het was hartstikke leuk. Ik vind het fijn hier in Mensjesland. Jij bent lief voor me.'

Heel even overwoog ik om haar te laten blijven, maar toen zag ik mijn schoolblazer over de leuning van de stoel hangen, klaar voor de middelbare school. Mijn blik viel op de eenhoornrugzak.

Het was tragisch, maar er was echt geen plaats voor een elfje in mijn leven.

En heel eerlijk gezegd was het ook niet 'hartstikke leuk' geweest. Ik had vooral heel veel stress gehad.

Daar kwam bij dat mijn zakken nog vol met vossen zaten.

'Het was interessant om je te leren kennen,' zei ik.

Ik stak mijn vinger uit zodat Stink hem tussen haar kleine handjes kon schudden.

Ze fladderde een stukje omlaag en deed de deur open. De typische stank van Elfenland kwam naar buiten. 'Dag, Danny,' zei ze. 'Doei, Soof.'

'Wacht. Ik heb een cadeautje voor je,' zei ik. Ik haalde de vossen uit mijn zak en zette ze voorzichtig op de vloer.

Stink hapte naar adem en Sofie gilde verrukt.

'Zijn al die paarden voor mij?' vroeg Stink.

'Fandango slaat blauw uit van jaloezie als hij ze ziet. Ik kan iedere dag op een andere rijden! Ik ga ze trainen. Ik word hun commandant. En dan ben ik niet

meer S punt Tink het prutselfje, maar S punt Tink de
paardenelf!'

De kleine vossen hadden geen aanmoediging nodig.
Aangelokt door de meur van Elfenland galoppeerden ze
zonder ook maar één keer om te kijken door de deur.

Nadat Stink nog een laatste blik op
mij, Sofie en de Mensjeswereld
had geworpen zei ze: 'Dag,
Danny Rekels, de beste
onder de mensen,
en zijn grappige
zusje!' Daarna liep
ze door de elfendeur,
die met een harde klap
achter haar dichtsloeg.

En nu ben ik dus al de hele
avond op mijn haar aan het
kloppen, gewoon om te checken of daar geen elfje zit.

Er is geen elfje. Stink is weg.

Ik ben alleen met Guus en Tonnie achtergebleven in
mijn slaapkamer. Overmorgen ga ik voor het eerst naar

de middelbare, en volgens mij komt het wel goed. Ik heb tenslotte ook een elfje, een trol en een gnoom laten ontsnappen uit Elfenland, en daarna heb ik gezorgd dat ze weer teruggingen. En vergeet ook die vossen niet, die ik zo diervriendelijk uit Zurings tuin heb verwijderd.

Ik kan dingen.

Welterusten, dagboek, en vaarwel.

De vreemde tijden zijn voorbij!

30.
Maandag

Mijn eerste dag ooit op de middelbare school.

De vreemde tijden zijn niet voorbij.

Eerst ging alles nog goed. Kabir en ik ontdekten dat we in dezelfde klas zaten en niemand lachte om mijn rugzak. Een grote jongen uit een hogere klas zei wel: 'Goeie schoenen, oelewapper!' Maar dat kan ook een compliment zijn geweest.

Maar in de lunchpauze gebeurde er iets wat ik niet had zien aankomen.

Kabir en ik zaten in het stampvolle overblijflokaal, en waren klaar om aan te vallen op onze broodtrommels.

'Mam heeft bonbons op mijn boterhammen gedaan,' beweerde Kabir terwijl hij ze uit de folie haalde.

'Weet je het zeker?' vroeg ik. 'Want het lijkt verdacht veel op kaas.'

Kabir snoof verontwaardigd. 'Je moet je ogen laten nakijken, man.'

Ik deed het deksel van mijn eigen broodtrommel open en vroeg me af of pap er een gekookt ei in zou hebben gedaan.

'Hallo, Danny Rekels!'

En daar, op een bedje van brood, lag Stink te relaxen.

Ik klapte mijn broodtrommel dicht en tilde toen het deksel weer op.

Ze was er nog. En deze keer zag ik dat ze schoenen had gemaakt van druiven, en dat ze een mantel van salami droeg.

'Wat doe je daar?' fluisterde ik. 'Je hebt beloofd dat je voorgoed zou verdwijnen als je je honderd pingels had verdiend.'

'O ja? Nou, ik heb GELOGEN, Danny!' zei ze met een grote grijns. 'Als je één ding moet weten over elfjes, dan is het dat we nooit de waarheid spreken. Jij bent mijn Jongen, en je komt HELEMAAL NOOIT meer van me af!'

Heb ik weer.

KIJK UIT!

KOMT TERUG...

Rooie Rover is een vos. Hij draagt een cape en komt altijd in de problemen. Ik heb 135 strips met Rover gemaakt, en dit zijn er een paar.

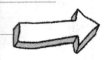

Teken zelf ook eens een strip. Het is hartstikke leuk, want je kunt laten gebeuren wat je wilt!

ROOIE ROVER 22.

BOING!

JOEPIE!!

Asiel voor spinnen, slangen en haaien

ROOIE ROVER 3.

SNOEPJES

ONGEWONE SNOEPWINKEL

OPEN

SLIK!

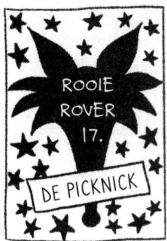

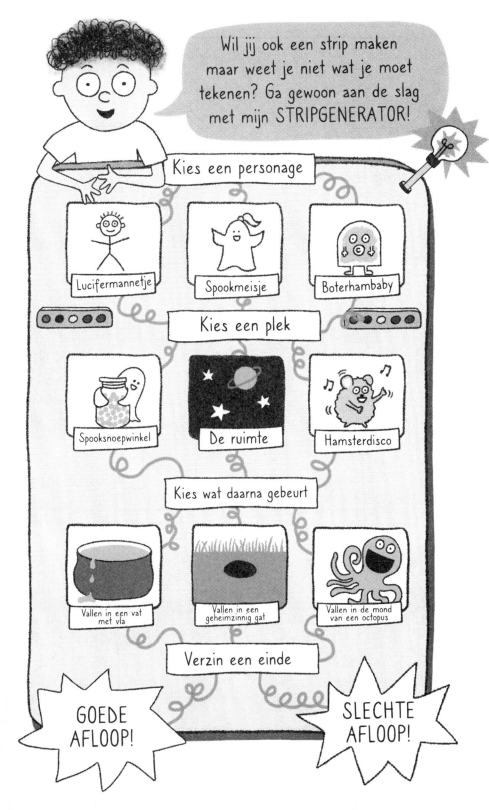

Dankwoord

Schrijvers hebben er een hekel aan om woorden te herhalen, want dat klinkt niet goed. Helaas heb ik zoveel hulp gehad met Stink dat ik het woord 'bedankt' heel vaak moet gebruiken. Om daaromheen te werken vervang ik 'bedankt' iedere keer door fruit.

Toen ik mijn agent Julia Churchill vertelde dat ik een boek wilde schrijven en zelf de tekeningen wilde maken, lachte ze me niet uit, maar ze vertelde mijn idee aan Liz Bankes en Lindsey Heaven. Deze drie fantastische vrouwen hebben gezorgd dat mijn jeugddroom is uitgekomen. Aardbei!

Kiwi, mijn briljante redacteuren Liz Bankes en Sarah Levison. Door jullie is Stink op de raarste plekken terechtgekomen. Een enorme ananas ook voor Stinks geweldige grafisch ontwerper Ryan Hammond, die er niet alleen voor heeft gezorgd dat Stink er supercool uitziet, maar die me ook o zo geduldig heeft begeleid bij het illustreren van dit boek.

Kers, mensen van Farshore, die net als ik dol zijn op verhalen, lachen en grappen over trollenpoep: Olivia Carson, Pippa Poole, Rory Codd, Aleena Hassan, Olivia Adams, Lucy Courtenay en Hannah Penny. Een dikke stinkzoen voor jullie allemaal!

Ik wil mijn team aan de kust ook heel hartelijk bananen: Helen Barker voor het wandelen, Helen Dennis voor de gesprekken, Abie Longstaff voor haar wijze advies en mijn vader en moeder omdat ze mijn kinderen hebben opgehaald van school en mij van het station. Jullie zijn een enorme steun.

Veel kumquat voor mijn inspirerende neefjes en nichtjes: Eric, Audrey, Mara, Rowan en de echte Danny en Sophie. Jullie geven me een heleboel ideeën door de grappige dingen die jullie zeggen en doen. Ik hoop dat jullie blij zijn met de tekening van Danny op de waterglijbaan. Ik heb die voor jullie getekend om grapefruit te zeggen.

Mijn allergrootste framboos gaat naar Ben, Nell en Flora. *Stink tegen Danny* zit zo vol lol, plezier en maffe grapjes omdat ik mijn leven met jullie deel. Heb ik even mazzel!

JENNY MCLACHLAN

heeft al een heleboel succesvolle boeken geschreven voor kinderen en tieners. *Stink tegen Danny* is haar eerste door haarzelf geïllustreerde boek. Voor Jenny schrijver werd gaf ze Engels op school. Tegenwoordig woont ze aan zee en geniet ze van schrijven, tekenen en dagdromen op de South Downs met haar hond Maggie.